D1213516

Guy Cogeval est conservateur du musée des Monuments français, dont il a entrepris la rénovation depuis 1992. Ex-pensionnaire de l'Académie de France à Rome, professeur à l'Ecole du Louvre, il est l'auteur d'ouvrages sur le *Post-impressionnisme* (1986) et notamment sur *Bonnard* (1993). Il a été commissaire des expositions «Triomphe et mort du héros» et «Vuillard» qui se sont tenues à Lyon en 1988 et 1990. Il prépare en ce moment une rétrospective «Maurice Denis» (1994) et, avec Jean Clair, une exposition sur le «Symbolisme en Europe» (Montréal, 1995).

A Hervé-Jean Le Niger

*Dépôt légal : septembre 1993
Numéro d'édition : 65780
ISBN : 2-07053261-5
Imprimerie Kapp Lahure
Jombart, à Evreux*

VUILLARD
LE TEMPS DÉTOURNÉ

Guy Cogeval

DÉCOUVERTES GALLIMARD
RÉUNION DES MUSÉES NATIONAUX
PEINTURE

E Vuillard

L'existence créatrice d'Edouard Vuillard est des moins flamboyantes. Sa vie paraît vouloir contourner à tout moment l'anecdote et se préserver du déploiement tapageur d'une stature héroïque avec sa série obligée de défis scandaleux. Les seules péripéties qu'elle expose sont de rares voyages limités à l'Europe, de courtes obligations militaires en 1914 et une fin de carrière couronnée par l'entrée à l'Institut.

CHAPITRE PREMIER
CE QU'ÊTRE NABI VEUT DIRE

L'*Autoportrait avec la sœur de l'artiste* (1892) est sans doute la seule œuvre où Vuillard se représente dans l'acte d'étreindre un autre être. Une photographie du peintre vers 1893 confirme cette alliance de pudeur et de profondeur interrogative.

Les témoignages de ses contemporains insistent généralement sur l'apparence de sagesse, de rigueur, et d'extrême réserve de Vuillard. Les autoportraits de jeunesse présentent déjà son visage prolongé d'une barbe rousse qui accentue sa naturelle gravité, presque à en faire un homme résigné à mettre sa jeunesse entre parenthèses. «Foncièrement français, dans le genre d'un saint François de Sales à qui il ressemblait beaucoup, Vuillard était une nature toute de délicatesse et de tact. Il ne s'exprimait jamais de façon

Vuillard a vingt ans lorsqu'il peint son *Autoportrait au canotier*, fortement marqué par Fantin-Latour. «Malgré la fraîcheur et l'éclat du teint, ce n'est déjà plus un regard de vingt ans», dira Claude Roger-Marx, l'un de ses amis et biographes.

absolue par crainte de ne pas être vrai», se souviendra le plus religieux des peintres nabis, Jan Verkade.

Vuillard aurait dit : «On arrive par un coup d'éclat, ou à l'ancienneté.» En ce qui le concerne, les deux voies sont complémentaires ; n'apparaît-il pas comme un être dans lequel coexistent l'enfant, avec la fraîcheur de son regard sélectif sur les choses, et le vieillard, éloigné du monde par la distance du souvenir ? Il est donc bien difficile de scander sa vie en dates et en périodes, de circonscrire les méandres de sa création entre des limites temporelles fixes. S'il y a bien évolution dans sa sensibilité et surtout dans sa manière, elle n'est dans aucun cas rectiligne. Ni révolutionnaire extraverti, ni peintre du dimanche, Vuillard présente un itinéraire très original au cœur de la tradition moderne.

Le goût de l'ésotérisme, l'étude des langues sémitiques, les références à Wagner, Swedenborg, Schopenhauer et aux *Grands Initiés* d'Edouard Schuré furent autant d'éléments fédérateurs du groupe des nabis, très tenté, à l'origine, par le symbolisme néo-platonicien, selon lequel «les objets naturels sont les signes des idées, et le visible est la manifestation de l'invisible» (Maurice Denis). A gauche, Paul Ranson, le plus rompu à l'interprétation des textes sacrés, en costume de nabi. Ci-dessous, Joséphin Péladan, dit le Sâr, dans son costume chaldéen, par Alexandre Séon ; critique d'art et auteur du *Vice suprême*, il fonde en 1892 le salon symboliste et occultiste des Rose-Croix.

Dire qu'une chose est belle est simplement un acte de foi, non un mesurage avec une quelconque mesure (Vuillard, Journal, 2 avril 1891)

Nabi. Le mot autrefois mystérieux, à présent presque trop utilisé, aurait été suggéré à Maurice Denis par le poète Henri Cazalis. *Nebîîm*, en hébreu, signifie «prophète», «illuminé». Il est vrai qu'au tournant des années 1890 le goût pour les religions occultes et la théosophie a rendu le terme relativement familier. «Il nous donnait un nom qui, vis-à-vis des ateliers, faisait de nous des initiés, une sorte de société secrète d'allure mystique, et proclamait que l'état d'enthousiasme prophétique nous était habituel», se souviendra Maurice Denis en 1934. Le Sâr Péladan salue dans son portrait par Alexandre Séon le «Nabi de l'idéalité impavide» qu'il croit reconnaître dans sa propre effigie.

Le rejet du réalisme officiel enseigné dans les ateliers de Bouguereau ou de Cormon (qu'ils ont fréquentés à une certaine époque) aussi bien que de l'hédonisme impressionniste (qu'ils connaissent d'ailleurs fort mal avant 1895) poussent une génération de jeunes peintres qui ont tous autour de vingt ans entre 1888 et 1890 à chercher les voies dogmatiques d'un renouveau radical de la peinture. Le miracle de leur aventure, c'est qu'ils expérimentent ce renouveau dans un total empirisme.

Maurice Denis rappelait que le point *alpha* de leur rencontre fut la présentation par Sérusier du célèbre *Bois d'amour*, composé à Pont-Aven en 1888 sous la dictée de Paul Gauguin. Rebaptisé *Talisman*, ce petit tableau peint sur le couvercle d'une boîte de cigares devint le manifeste du synthétisme auquel aspiraient les jeunes peintres. D'après Maurice Denis, ce petit paysage, «informe, à force d'être synthétiquement formulé, en violet, vermillon, vert véronèse et autres couleurs pures, telles qu'elles sortent du tube», leur donna le signal d'une

Le *Bois d'amour* (ci-dessus), de Paul Sérusier, sera le talisman des nabis. Ci-dessous, une caricature aimable du groupe synthétiste de Pont-Aven par Emile Bernard, qui s'est revendiqué créateur du synthétisme. Bientôt, Gauguin s'éloignera du dogme rigide de ce dernier, affirmant que «sintaise» rime avec «foutaise».

❝Pour Edouard Vuillard, la crise déterminée par les idées de Gauguin fut de courte durée : il lui doit cependant la solidité du système de taches sur quoi il appuie le charme intense et délicat de ses compositions.❞

Maurice Denis

liberté nouvelle, d'un art régénéré, ouvert à l'imagination, grâce à laquelle, au lieu d'être simple copie, il pouvait devenir déformation subjective de la nature.

Le groupe de jeunes artistes, parmi lesquels on compte Pierre Bonnard, Henri Ibels, Paul Sérusier et Maurice Denis, se réclame de Gauguin et de Puvis de Chavannes, du primitivisme, aime à discuter de Wagner, de philosophie, des religions orientales, du théâtre contemporain au cours de soirées interminables qui les réunissent au «Dîner de l'os à moelle», dans le passage Brady, ou, mieux, dans l'atelier de Ranson, boulevard du Montparnasse, rebaptisé «Le Temple» pour leurs assemblées initiatiques.

Deux œuvres «synthétiques» de Vuillard : *La Femme au chapeau vert* et le portrait de son condisciple et futur beau-frère, Ker-Xavier Roussel. Les formes sont simplifiées jusqu'à la caricature, les ombres proscrites, les zones de couleur cernées comme des émaux cloisonnés.

L'enfant sage

L'adhésion de Vuillard à un groupe de jeunes peintres révolutionnaires n'allait pas de soi. D'origine petite bourgeoise, né à Cuiseaux, près de Lyon, le 11 novembre 1868, Vuillard perdit son père à l'âge de quinze ans. Sa mère, propriétaire d'un magasin de corsets à Paris, prit en main son éducation avec une compréhension, une constance qui forcèrent l'admiration des amis du jeune peintre, s'employant à favoriser les propensions artistiques de son fils. C'est certainement à l'enseignement éclairé du lycée Condorcet, après celui des frères maristes, que le jeune Vuillard a dû son ouverture sur le monde. Il y découvre d'ailleurs les amis qu'il conservera toute sa vie, tels Ker-Xavier Roussel et Aurélien Lugné-Poe.

Lorsqu'il quitte le lycée, Vuillard fait un rapide passage par l'atelier de Diogène Maillard, puis fréquente quelque temps, et non sans fierté, les ateliers de Bouguereau, de Robert-Fleury et de Gérôme. Mais sa véritable formation artistique se situe ailleurs au cours des années 1885-1888, essentiellement dans ses visites coutumières au musée du Louvre où il s'inspire aussi bien de la peinture de

L'apprentissage académique de Vuillard aura été plus complet que celui des autres nabis. Parmi ses premières œuvres, *La Nature morte à la salade* (1887-1888), peinte par petites touches modulées, se pose comme un hommage à l'art silencieux de Chardin.

genre hollandaise du XVIIe siècle que de l'école française du XVIIIe, ainsi qu'en témoignent les croquis émaillant son journal de jeunesse et les quelques compositions inspirées par les maîtres anciens. S'il admire Holbein et Véronèse, ses toutes premières compositions telles que *Lapin de Garenne* ou *Nature morte à la salade* le montrent plutôt sous l'emprise de Vermeer, de Chardin et de Corot – «Corot, un accent dans quelque chose de flou, dans un accord parfait de gris nombreux, un son...» (Journal, 31 août 1890). Il est donc arraché à son milieu naturel lorsqu'il rencontre Pierre Bonnard, Maurice Denis et Paul Sérusier, autour du groupe qui s'est déjà formé au lycée Condorcet.

Dès 1888, Vuillard a commencé à tenir un journal qui, au début, est plus l'expression de ses recherches d'artiste que le recensement régulier des événements quotidiens : «Nous percevons la nature par les sens qui nous donnent des images de formes et de couleurs, de sons, etc. Une forme, une couleur n'existe que par rapport à une autre. La forme seule n'existe pas» (Journal, 20 novembre 1888). Malgré la révélation talismanique de l'été 1888, les œuvres que nous pouvons rattacher à l'année suivante, tel le très beau portrait au fusain de la grand-mère Michaud, font plutôt songer à Fantin-Latour. La véritable conversion de Vuillard date peut-être de l'été 1890 au cours duquel Paul Ranson, le plus ésotérique des nabis, lui prête son atelier.

Le journal de jeunesse de Vuillard (au centre) fonctionne comme un collage très original de texte – le plus souvent des réflexions esthétiques et philosophiques jetées pêle-même – et d'images – croquis anatomiques, détails de tableaux du Louvre, scènes de rue...

Ci-dessus, le *Portrait de la grand-mère Michaux*, qui vécut avec la famille Vuillard jusqu'à sa mort, portant un éternel veuvage.

Le zouave profane

La plupart des commentateurs de l'œuvre du «Nabi zouave» (sa barbe taillée à la militaire lui valut ce surnom) se sont ingéniés à démontrer le caractère atypique de ce dernier par rapport à ses condisciples, plus attirés par la métaphysique, l'idéalisme, la quête de règles compositionnelles strictes, plus soumis au courant symboliste alors dominant. Vuillard serait, avec Bonnard, le plus laïc et le plus profane des nabis.

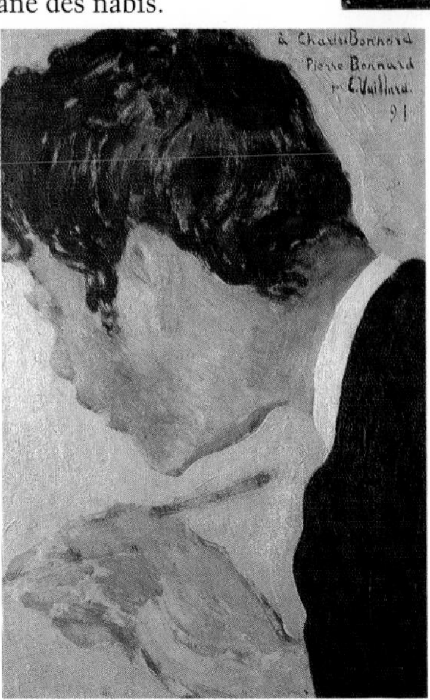

Une sorte de fraternité naturelle unira Vuillard, depuis le lycée Condorcet jusqu'à sa mort, à Pierre Bonnard. Tout jeunes, ils partagent le même atelier. Se fréquentant quotidiennement, c'est ensemble qu'ils affrontent les aventures de *La Revue blanche*, de L'Œuvre et du Théâtre des Pantins. A ne considérer que l'iconographie de leur peinture respective, de profondes affinités paraissent plus qu'évidentes : intérieurs bourgeois, sentiment du temps qui passe, capture de l'instant. Dès les années 1890, l'association systématique de leurs deux noms est devenue un lieu commun de la critique et, comme le

En 1891, les nabis commencèrent à travailler pour *La Revue Blanche*, revue fondée deux ans plus tôt par Thadée Natanson. Cette publication d'avant-garde consacrait une large place au débat esthétique (à gauche une affiche réalisée par Bonnard, 1894).

fait remarquer Thadée Natanson, jeune directeur de *La Revue blanche*, «ils sont presque seuls à ne pas trouver du tout que leurs panneaux se ressemblent. [...] Ce qui se ressemblerait d'avantage, c'est la peinture après laquelle ils soupirent».

«Rien n'est important que l'état d'âme dans lequel on est pour pouvoir assujettir sa pensée d'une sensation»

Est-ce à dire que la peinture de Vuillard doit s'entendre dès l'origine dans le registre d'un intimisme profane ? Ce serait ne pas prendre en compte l'ascendant très net que Maurice Denis exerce sur son ami Vuillard. Pour Denis, le «Nabi aux belles icônes», l'art n'a d'autre sujet que l'état d'âme ou l'idée qu'il exprime par les caractéristiques formelles de la peinture.

Si l'objet pictural doit être l'équivalent sensible d'une impression, la transposition d'une sensation, alors Vuillard s'inscrit, encore que de manière très discrète, à l'intérieur de ce courant symboliste. Son Journal en témoigne : «Rien n'est important que l'état d'âme dans lequel on est pour pouvoir assujettir sa pensée d'une sensation, ne penser qu'à elle tout en cherchant le moyen d'expression. Ma tête est dans l'engourdissement maintenant, tout à l'heure elle était si active» (6 septembre 1890).

Il ajoute quelque temps plus tard, non sans amertume : «Il faut donc avoir une méthode pour la production dont on ne peut connaître par avance le résultat. Entendons-nous, je dois imaginer, voir, les lignes, les couleurs, que je pose et ne rien faire au

“Les deux jeunes peintres ne sont de rien plus pressés que de se montrer tout ce qu'ils font et Vuillard, qui est le plus enthousiaste, consentirait joyeusement à n'avoir jamais d'autre juge [...]. Ils parlent des musées et des toiles de leurs aînés que l'on peut voir à la galerie Durand-Ruel ou chez Goupil, un peu plus tard chez le père Tanguy. Ils se confient leurs projets [...] Vuillard vient souvent chez les Bonnard, et il est du petit nombre de ceux par lesquels Marthe se laisse apprivoiser [...]. La tendresse de Vuillard est, je ne dis pas la plus expansive des deux, mais la seule qui soit. Pourtant, apte à tout comprendre, et plus que tout, délicat, il sait combien Bonnard a horreur et d'abord peur de toute démonstration. [...] J'ajouterai que, pour intime [qu'ils] aient été, ils ne se sont jamais tutoyés.”

Thadée Natanson

Vuillard offrit au frère de son ami, Charles, un *Portrait de Bonnard* en train de peindre (au centre). Quant au *Portrait de Vuillard*, en forme de dessus de cheminée, qu'il a peint en 1892, Bonnard l'a toujours gardé chez lui. Comme l'ensemble du groupe nabi, de 1891 à 1896, les deux hommes exposent à la galerie Le Barc de Boutteville, rue Le Peletier.

hasard, cela est parfaitement juste. Je dois réfléchir toutes mes combinaisons mais justement pour la possibilité de ce travail, il me faut une méthode dont je sois convaincu. J'ai trop travaillé au hasard et sûrement ce ne sont pas des œuvres purement, ce n'est pas mon œuvre originement, à cause de ce hasard : les dessins sur le conservatoire, les programmes du T[héâtre] L[ibre], les dessins de la pantomime s'ils ont une personnalité, c'est malgré moi et je fais tout pour la tuer faute d'intelligence parce qu'il n'y a rien d'absolu dans nos théories, c'est une grâce. Mais pourquoi mon embarras chaque fois que je recommence une série : manque de méthode décidément assise qui me délivre du souci vulgaire d'originalité. Une méthode bellement établie peut seule me donner le repos d'esprit et me permettre de me duper évidemment, Sérusier a raison de dire de ne pas se soucier de l'expression subjective pour la production. C'est l'affaire du contemplateur» (24 octobre 1890).

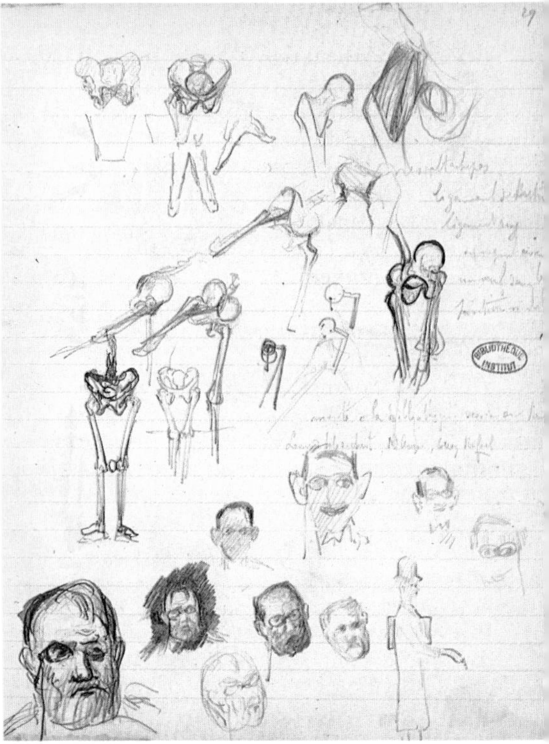

L'enseignement de l'école des Beaux-Arts supposait, outre les esquisses à partir des modèles vivants, une bonne connaissance de l'anatomie humaine, n'excluant pas d'aller relever quelque croquis à l'école de Médecine. Ici, dans son Journal, Vuillard compose une page très originale où des portraits charges et des fragments de texte s'emboîtent dans une étonnante danse de squelettes.

«Le mot harmonie veut dire seulement science, connaissance des rapports, des couleurs» (Vuillard, Journal, 30 octobre 1890)

Maurice Denis, de son côté, parle assez peu d'Edouard Vuillard dans son journal de jeunesse, alors que leurs relations s'intensifieront lorsqu'ils auront atteint tous deux la soixantaine. L'intérêt de Denis pour la peinture de son condisciple n'en est pas moins réel dès la période nabie : «Ces petites chambres sont extraordinairement décorées avec les petits dessins et les petites peintures ; il a un talent très rare. Vuillard est celui d'entre nous qui mérite le plus.» Ou encore : «J'envie le bonheur de Vuillard qui ne fait que la peinture qu'il veut et cependant en tire profit.» Et le peintre des ateliers de couture et des jardins publics ne rejoint-il pas Maurice Denis lorsqu'il prétend que l'analogie est «un symbole [...] qui ne peut s'exprimer simplement par l'énumération des objets qui l'ont déterminé» (Journal, 6 décembre 1890) ?

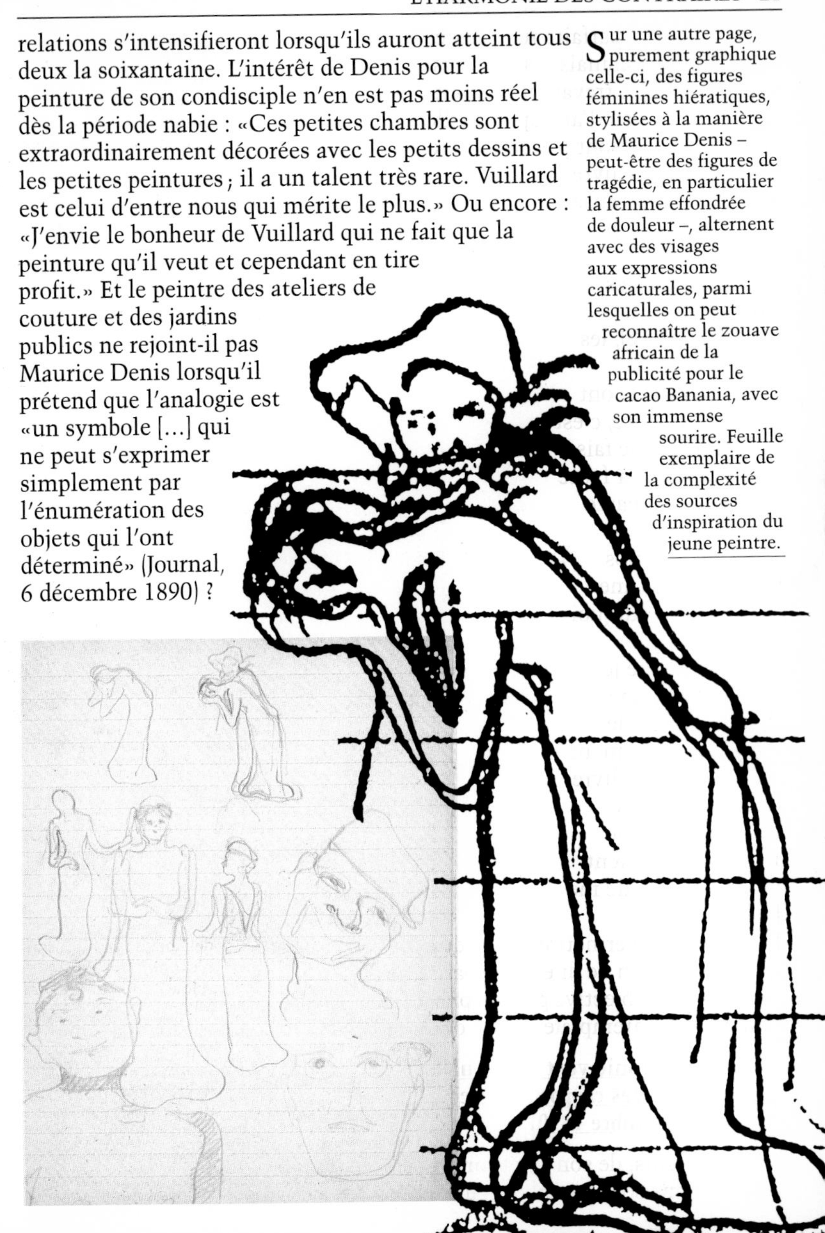

Sur une autre page, purement graphique celle-ci, des figures féminines hiératiques, stylisées à la manière de Maurice Denis – peut-être des figures de tragédie, en particulier la femme effondrée de douleur –, alternent avec des visages aux expressions caricaturales, parmi lesquelles on peut reconnaître le zouave africain de la publicité pour le cacao Banania, avec son immense sourire. Feuille exemplaire de la complexité des sources d'inspiration du jeune peintre.

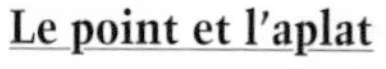

Le point et l'aplat

Comme tous les jeunes peintres au tournant des années 1890, Vuillard porte une grande attention au modèle de la peinture de Seurat. On peut même parler, au cours des années 1890-1891, d'une véritable parenthèse néo-impressionniste illustrée par des œuvres telles que *La Grand-Mère à la soupière*, où l'image de la grand-mère du peintre est totalement pulvérisée dans une atomisation générale des couleurs ; ou *Les Débardeurs*, où tout rattachement à un modèle réaliste est éludé.

Par rapport aux œuvres contemporaines de Signac ou de Cross, Vuillard paraît ouvrir la peinture du XXe siècle avec des masses de couleurs superposées qui dissolvent pratiquement tous les contours des objets de la réalité. On peut être étonné de voir à quel point ce jeune artiste timide, prudent et effacé devient sûr

A l'instar de Bonnard dans sa *Parade nocturne* (en haut, à gauche), Vuillard se sert du pointillisme, non pas en tant que science, mais plutôt comme d'une grammaire décorative, dont il recouvre des aplats colorés.

de lui dans ses petites pochades (qu'il nommera «petites salissures»), à quel point il s'engouffre avec délectation dans les territoires inconnus d'une peinture totalement expérimentale, non finie, radicalement émancipée du sujet.

L'*Autoportrait octogonal* est une des démonstrations les plus abouties des règles du synthétisme pictural voulu par Gauguin : cheveux jaunes, visage rose, barbe orange, plages de couleurs non modelées et apposées brutalement les unes à côté des autres, avec une tache grise qui s'étend sur le visage pour marquer l'ombre.

Car durant cette période très courte, la peinture de Vuillard est malgré tout dominée par les règles de l'aplat, du cloisonné, qui sont comme un

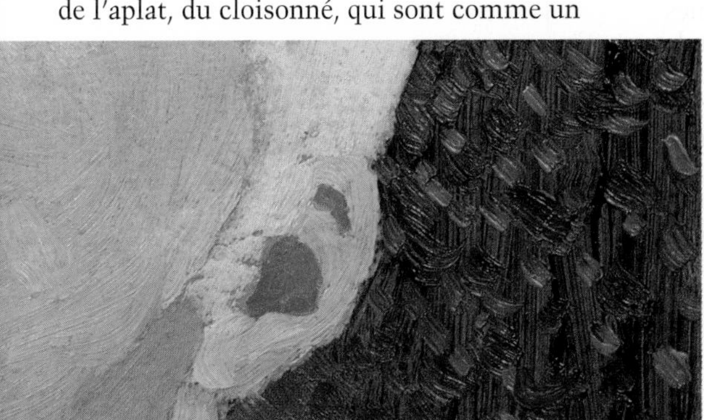

détournement très personnel des modèles du maître de Pont-Aven. Pour le public le plus réfractaire à l'atmosphère bourgeoise, au parfum de camomille, à la discipline morne des placards de linge qui émanent d'une grande partie de la production vuillardienne, c'est en fait cette période des années 1890-1892 qui éblouit le plus immédiatement, presque brutalement, et qui jette les ponts les plus solides vers les transgressions de l'art contemporain.

C'est une apparente affirmation de soi qui triomphe dans cet autoportrait où le caractère sacré de la figure octogonale (fusion du cercle et du carré, associée au baptême, à la renaissance de l'âme) est encore accentué par l'averse de menues macules qui forme une auréole autour du visage de l'artiste. Tel un moderne *condottiere*, il se retourne lentement pour fixer le spectateur de ses deux yeux noirs, avec une expression énigmatique qui mêle l'interrogation au défi. L'octogone et le fond pointillé rassemblent les champs emboîtés qui paraissent aisément dissociables.

«Plus les éléments employés sont purs, plus l'œuvre est pure. En peinture, il y a deux moyens d'expression, la forme et la couleur; plus les couleurs sont pures, plus pure est la beauté de l'œuvre; [...] chose remarquable dans les musées et l'histoire de la peinture, plus les peintres sont mystiques, plus leurs couleurs sont vives (rouges, bleus, jaunes), plus les peintres sont matérialistes, plus ils emploient des couleurs sombres (terres, ocres, noirs bitume).»

Journal, 31 août 1890

«Concevoir bien un tableau comme un ensemble d'accords, s'éloignant définitivement d'idée naturaliste», note Vuillard dans son Journal le 31 août 1890, comme en réponse à l'article «Définition du néo-traditionnisme» de Maurice Denis, paru dans *Art et Critique* une semaine plus tôt : «Se rappeler qu'un tableau, avant d'être un cheval de bataille, une femme nue ou une quelconque anecdote, est essentiellement une surface plane recouverte de couleurs en un certain ordre assemblées. Je cherche une définition *peintre* de ce simple mot "nature". [...] Probablement : le total des sensations optiques.»

Les Débardeurs révèlent la séduction exercée sur Vuillard par le système de peinture scientifique de Seurat et l'importance pour tous les jeunes peintres d'interpréter les théories de Chevreul sur la lumière. La construction de l'espace en bandes parallèles, la masse abstraite formée par les sacs posés sur le quai, le tas de sable jaune sur le côté (hommage au rideau jaune du *Cirque* de Seurat ?) en font toutefois une des œuvres les plus avancées du moment.

Il faut généralement recourir au système de référence de l'art fauve et de l'art abstrait pour juger des peintures telles que *Les Lilas* ou *Les Couturières* (collection Josefowitz), qui datent de ces années. Il est difficile de croire qu'un jeune homme, quelques mois plus tôt sous l'emprise de Chardin, puisse concevoir un tableau aussi violent que *Les Lilas*, dans lequel il manifeste le refus extrême de tout modelé, mettant en jeu un collage de couleurs insensées qui consacre l'avènement de la stridence pure au moment précis où Maurice Denis compose ses *Taches de soleil sur la terrasse*.

De même, des œuvres telles que *Madame Vuillard en rouge* ou *Fillettes se promenant* instituent une agressivité chromatique dont il serait difficile de trouver un équivalent au cours de la même période. Ce dernier tableau est comme une démonstration souveraine de ce premier «système» vuillardien, avec un refus marqué de céder à l'anecdote, avec des

«L'Art est la sanctification de la nature, [...] triomphe universel de l'imagination des esthètes sur les efforts de bête imitation, triomphe de l'émotion du Beau sur les mensonges naturalistes.» *Les Lilas* et *Madame Vuillard en rouge* viennent au-devant de cette affirmation de Maurice Denis, comme de ses *Taches de soleil sur la terrasse* (en haut).

physionomies qui se dérobent et des champs clos décoratifs juxtaposés les uns à côté des autres (rayures brunes contre maculations de la robe bleue), sans omettre ce goût pour les attitudes gauches et instables du corps, qui décentrent volontairement les cadrages.

Avec ses *Fillettes se promenant,* Vuillard applique les principes synthétistes à un format qui tend vers le monumental.

L'empreinte japoniste

Dans les années 1890-1892, Vuillard assimile et fait siennes les données du japonisme. A l'instar de Maurice Denis et de Bonnard, il collectionne les estampes japonaises, en particulier après la très grande exposition des arts du Japon organisée à l'école des Beaux-Arts en 1890. Il possède entre autres la *Manga* d'Hokusai. Chez lui, le japonisme équivaut à une surdétermination de la forme, qui accroît l'expressivité des moyens plastiques. Sa recherche d'un art décanté, linéaire, qui refuse les effets de profondeur et les objets «qui tournent», n'a pu qu'être confirmée par les suggestions de l'art extrême-oriental.

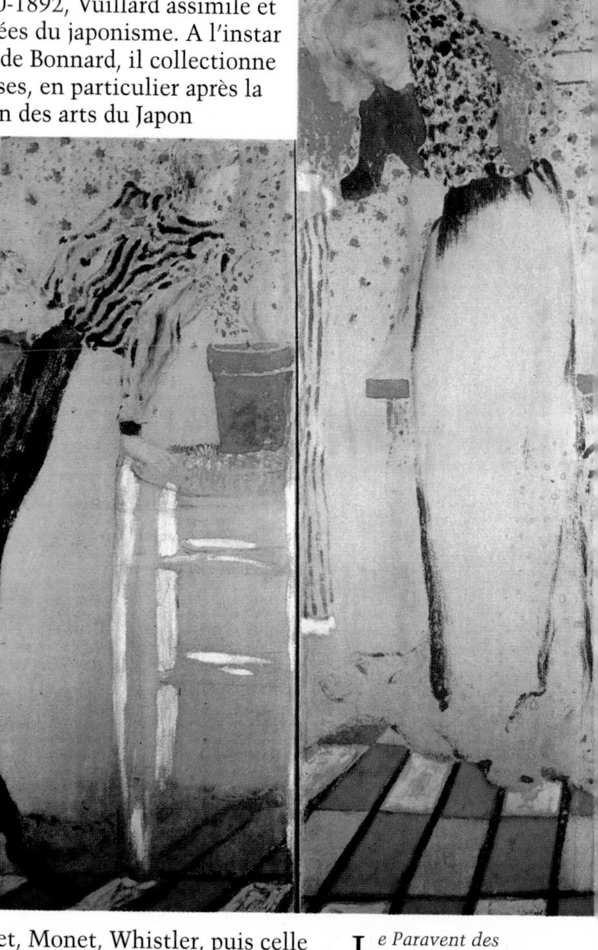

La peinture nabie aura été une phase ultime de l'assimilation de l'art japonais, après la génération de Manet, Monet, Whistler, puis celle de Seurat et de Gauguin. Le japonisme n'est plus seulement l'occasion d'une iconographie renouvelée, il triomphe en tant que recomposition codifiée du visible : figures à l'individualité niée, contrastes rythmiques, environnement végétal prisonnier de principes décoratifs, plans qui se superposent en

Le *Paravent des couturières*, réalisé pour Paul Desmarais, cousin des frères Natanson, est fortement marqué par l'empreinte du japonisme.

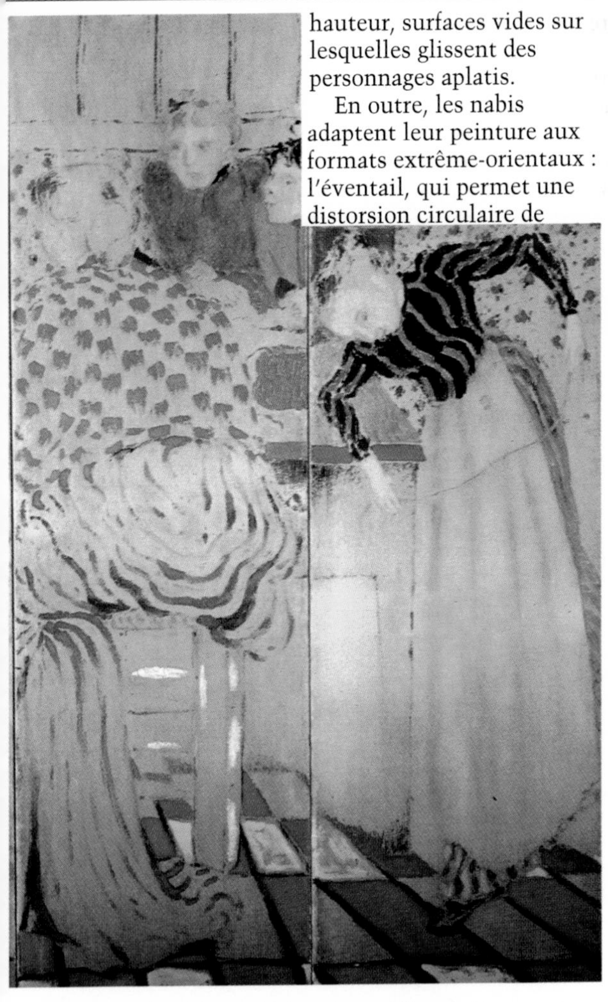

hauteur, surfaces vides sur lesquelles glissent des personnages aplatis.

En outre, les nabis adaptent leur peinture aux formats extrême-orientaux : l'éventail, qui permet une distorsion circulaire de l'espace plan (*Eventail des fiançailles*, de Denis, et *Femmes et Fleurs*, de Bonnard, tous deux de 1891). Les bandes en hauteur, inspirés des *kakemonos* japonais, sont le domaine d'élection de Bonnard : son *Peignoir* (1892) est le modèle de la silhouette féminine, élégante et contorsionnée, prisonnière d'un étroit bandeau. Articulés entre eux, les panneaux en

Chaque figure féminine se retrouve imbriquée à l'intérieur d'une feuille de paravent qui reprend les formats traditionnels du *kakemono* (des panneaux dont la hauteur vaut généralement trois fois la largeur), ce qui oblige le peintre à étirer considérablement les silhouettes. Le chromatisme très dense du sol s'oppose avec subtilité à la présence presque évanescente des figures féminines auxquelles il imprime des contorsions issues, certes, des postures des courtisanes d'Hiroshige ou de Kuniyoshi, mais qui font également penser à mainte œuvre maniériste de Pontormo ou de Parmiggianino. Et surtout, les corps sont ici révélés par une présence très laconique des touches de peinture, alors que domine sur l'ensemble de la surface de composition la toile intacte, comme laissée en réserve. Vuillard instrumentalise ici, empiriquement, des méthodes de peinture qui seront transformées en système une dizaine d'années plus tard par Braque et Matisse, pendant la période de Collioure en particulier.

hauteur se muent en paravent, sorte de figure de style de la période : les *Femmes au jardin* de Bonnard précèdent de peu les *Couturières* de Vuillard, délicats emblèmes touchés par la grâce du symbolisme.

C'est en partie au modèle déjà reconnu de l'art japonais qu'il faut attribuer le style plan du premier Vuillard, ainsi que l'évolution progressive vers les associations de points de vue parallèles. Ainsi, les *Panneaux Desmarais*, première commande décorative que reçut le peintre, en 1892, mettent en scène des alternances de sol vu en surplomb et de personnages perçus en élévation. De même, ils présentent une succession de scènes, les unes (*L'Atelier de couture I* et *II*) où dominent la profusion des détails, l'horreur du vide, les rythmes syncopés, et les autres (*Le Jardinage, La Partie volant*) où s'imposent les réserves, les surfaces neutres, les teintes de sable et les verts pâles.

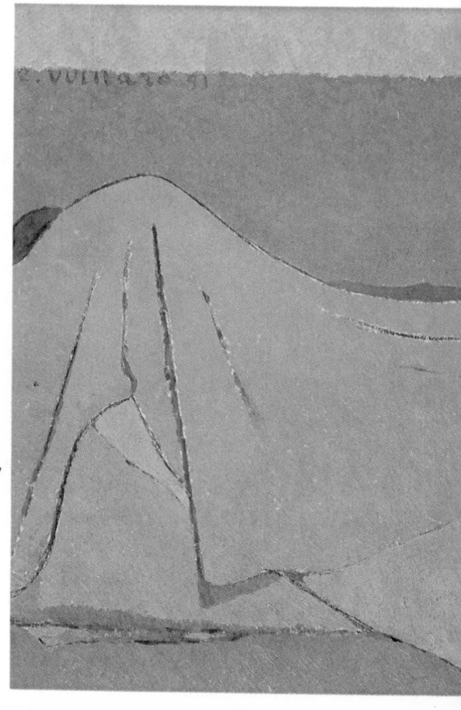

Ces six panneaux représentent le point extrême d'une peinture où les sujets traditionnels de Vuillard – couturières, jeux d'enfants, quiétude d'un jardin – sont totalement absorbés par les

dispositifs visuels, par les effets de matière qui dominent l'impression rétinienne.

S'il fallait résumer dans un tableau les influences croisées du synthétisme, de la pensée symboliste et des arts décoratifs du Japon, *Au lit* (1891) se poserait comme un exemple parfait : palette de couleurs réduite au minimum, grand aplat coloré et uni cerné par des lignes qui parcourent la composition, schéma par bandes parallèles, arabesques maniérées imprimant des rythmes presque musicaux à cette atmosphère profondément étanche de serre chaude. Ce mystère du sommeil en pleine lumière, qui fonctionne sur des champs de matière strictement cernés, induit la prééminence absolue de la cérébralité sur l'impression atmosphérique et tactile.

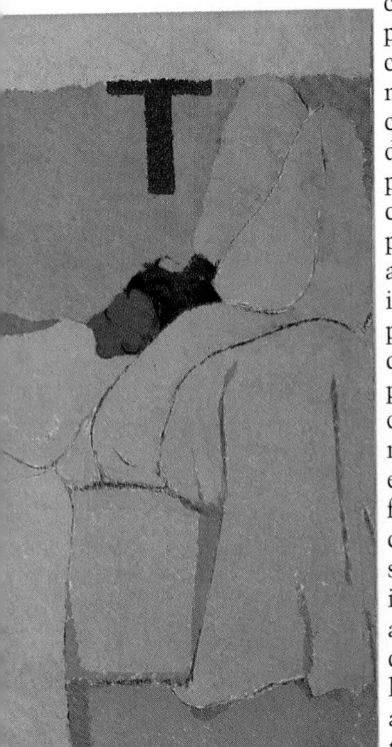

Les six panneaux commandés par Paul Desmarais sont le premier ensemble décoratif de l'œuvre de Vuillard (1892). Chaque panneau devait être encastré dans les boiseries d'un cabinet de toilette, avenue de Malakoff. Ici, *L'Atelier de couture I* et *La Partie de volant* donnent la mesure de la subtilité que le peintre met en œuvre dans l'emploi de matières somptueuses, dans la disposition des figures ondulantes qui révèlent une sorte de principe chorégraphique de l'ensemble.

« *Au Lit*, comme bien d'autres toiles à cette époque [...], n'était jamais sorti des armoires où Vuillard les conservait cachées, les considérant comme des exercices de jeunesse et des tentatives dont il avait vite abandonné la poursuite. »

Jacques Salomon

«Le poète dramatique est obligé de faire descendre dans la vie réelle, dans la vie de tous les jours, l'idée qu'il se fait de l'inconnu», affirme Maurice Maeterlinck dans la préface de son *Théâtre* (1901). Vuillard accomplit ce principe en composant ses peintures comme autant de scénographies complexes et étranges.

CHAPITRE II
COMME AU THÉÂTRE

L'*Actrice dans sa loge* est saisie dans un moment d'intimité délicat, trop rare dans l'œuvre de Vuillard et dont on sent pourtant qu'il lui voue une secrète prédilection : l'habillage. Sur le seul programme qu'il ait réalisé pour le Théâtre libre d'Antoine (26 novembre 1890, à droite), le peintre représente le protagoniste d'une pièce de Maurice Biollay, *Monsieur Bute*, frottant ses mains dans la terre après avoir étranglé sa bonne.

L'engagement d'Edouard Vuillard dans les mises en scène du théâtre idéaliste est indissociable de son amitié avec Aurélien Lugné-Poe, qui fut l'un des grands réformateurs de la scène au XXe siècle, au même titre qu'Antoine, Stanislavski ou Meyerhold. Et s'il peut nous paraître relativement banal qu'un peintre participe à une expérience décorative sur scène, il n'en allait pas de même au siècle dernier. Les rapports entre le théâtre et la peinture ont été

«Des Vuillard séjournèrent dès cette époque dans les loges des sociétaires illustres auprès de qui je faisais le placier», rapporte Lugné-Poe, que le peintre représente ici à une époque où ils partagent un atelier au 28 rue Pigalle.

très denses au cours du XIXe siècle, mais rares sont les peintres qui ont dessiné des décors et des costumes de théâtre, si l'on excepte David, Delacroix, ou Delaroche. La condition de peintre était nettement séparée de celle de scénographe, et considérée comme très supérieure dans la hiérarchie sociale.

C'est dire que la participation de Vuillard aux expériences du théâtre de L'Œuvre de Lugné-Poe est à mettre au compte d'une nouvelle mentalité

Dès le début de son amitié avec Vuillard, le fondateur de L'Œuvre s'efforça de faire connaître les nabis, courant Paris, des tableaux sous le bras. Il en vendit à l'acteur Coquelin-Cadet, au critique Jules Clarétie, au prince Poniatovski.

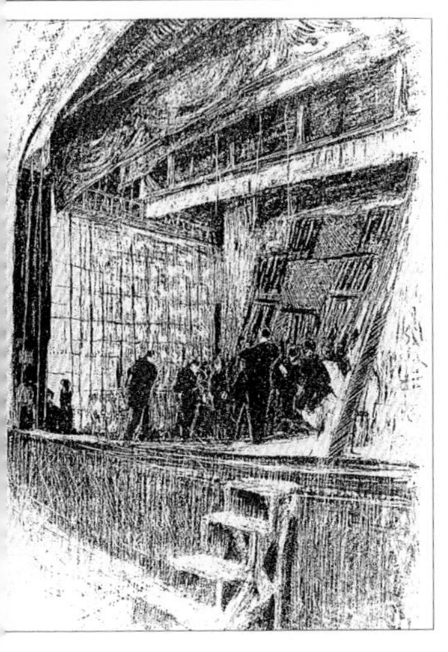

émergente. Les jeunes peintres ne considèrent plus qu'ils dérogent à leur statut en brossant des décors. Certains d'entre eux, et les nabis plus que tous autres, vérifient les nouveaux dispositifs mis en jeu par leur peinture dans les limites du cadre de scène. Nombreux sont les critiques littéraires, défenseurs d'un théâtre idéaliste, qui aspirent, tels Pierre Quillard ou Camille Mauclair, à une image scénique composée «comme un tableau»; or les nabis vont réaliser ce souhait qui paraissait auparavant impossible.

Pour le frontispice de *La Gardienne* (1894), d'Henri de Régnier, Vuillard évoque le surgissement fantomatique de l'âme du maître, apparaissant à la porte du château pour lui annoncer son destin. L'intérêt de Vuillard pour une dramaturgie irréaliste a été longtemps passé sous silence : il cadrait mal avec l'image d'impressionniste crépusculaire, témoin de ses contemporains, que l'artiste a pu laisser de lui après 1900. A gauche, *Une répétition à L'Œuvre* (1903) : Lugné-Poe dirigeant ses acteurs sur la scène dénudée.

L'œuvre d'art totale

La recherche d'un théâtre délivré des contingences du réalisme est à relier aux tendances de la période, qui portent les intellectuels vers un théâtre mental fondé sur la suggestion, refusant la reconstitution exacte des lieux et des époques, un théâtre qui pourrait en un mot se situer partout et nulle part, de manière à ce que l'attention se porte plus exclusivement sur l'évolution psychologique des personnages, sur les rapports de tension extrême entre les «caractères» qui animent cette dramaturgie.

Wagner est évidemment la figure tutélaire de ce retournement, lui qui voulait dans ses opéras créer «une œuvre d'art totale» qui associât à la fois l'image scénique, la musique, la pantomime, le geste des acteurs et le texte épique. Il y a un grand pas entre le torrent de l'opéra wagnérien et les petites pièces très courtes, généralement en un acte, qui vont fonder le répertoire de L'Œuvre, qu'elles soient écrites par Rachilde, Henri de Régnier ou Maurice Maeterlinck.

Toutefois Lugné-Poe aura conservé du modèle wagnérien un certain sens de la déclamation lente et hypnotique, l'exigence de la fixité des acteurs à l'intérieur du cadre de scène, ainsi que le goût des mouvements hiératiques. Un des premiers, il réclama, à la suite du mage de Bayreuth, l'extinction des lumières dans la salle, afin de capturer l'attention du spectateur. Lugné-Poe fut un instrument décisif de l'accaparement du théâtre d'Henrik Ibsen par la mouvance symboliste, à la grande fureur d'ailleurs de l'intéressé lui-même.

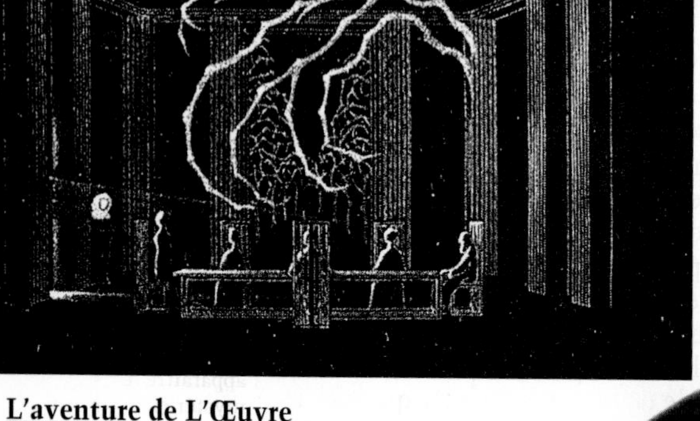

La salle du Feltspielhaus de Bayreuth (ci-dessus) est un des modèles de la dramaturgie symboliste, celle de Maurice Maeterlinck (ci-dessous) en particulier, qui joue sur une tension angoissante de l'action et sur une synergie entre décor et texte. Ci-contre, une scénographie déjà expressionniste de *L'Intruse*, de Maeterlinck, par Carl Kœster (1906).

L'aventure de L'Œuvre

Lorsque, en octobre 1894, la troupe de L'Œuvre se déplaça en Norvège pour jouer en français des pièces du grand dramaturge, le public s'étonna de les voir durer une demi-heure de plus que le temps auquel il était accoutumé. Vuillard offrit un imaginaire scénique qui se fondait à merveille avec les intentions très

Le Théâtre d'art de Paul Fort puis L'Œuvre de Lugné-Poe ont introduit le théâtre d'Ibsen en France. Maurice Denis représente (à droite), pour *La Dame de la mer*, la mélancolique Ellida qui scrute l'horizon pour y voir apparaître le navigateur mystérieux, telle une Damoiselle élue de facture préraphaélite (décembre 1892). Vuillard joue beaucoup plus (à gauche) sur les effets de pénombre, en révélant à peine Hilda qui réclame «son royaume», le château de ses rêves, à l'architecte Solness (avril 1894).

particulières de son ami Lugné-Poe. En juin de la même année, L'Œuvre monta *La Gardienne*, d'Henri de Régnier à la Comédie parisienne ; le peintre imagina alors d'isoler les acteurs du public en tendant sur le cadre de scène un voile de tulle qui immatérialisait les présences corporelles, tandis que des récitants installés dans la fosse d'orchestre déclamaient le texte. Si l'on s'en tient à une interprétation simplement intimiste de la culture de Vuillard, il est difficile de voir autre chose qu'une exception dans ce parti pris esthétique. Et pourtant, ce que l'on sait de ses productions sur la scène du théâtre de L'Œuvre par les critiques de l'époque, nous induit plutôt à penser qu'il s'agit là de choix délibérés et cohérents, marqués encore une fois par l'empreinte très profonde de la culture symboliste.

Lorsqu'il réalise les décors de *Solness le Constructeur*, d'Ibsen (avril 1894), Vuillard introduit au théâtre le plan incliné qui connaîtra une si grande fortune dans le théâtre expressionniste allemand des années 1920 ; signe d'une situation inconfortable des

personnages par rapport au sol, d'une instabilité psychologique, la transposition sur la scène du plan incliné correspond à certaines dispositions de sa peinture même. Ainsi, dans ses œuvres synthétistes telles que *L'Oie*, les personnages sont juxtaposés en hauteur comme s'ils étaient découpés dans des fermes de bois recouvertes de tissu

et plantés les uns au-dessus des autres sans aucune préoccupation de profondeur illusionniste. Datant de la même époque, *L'Homme et les deux chevaux* fait songer à une représentation de marionnettes en carton peint, où la simplification des moyens paraît devoir pousser le peintre nabi vers une bidimensionalité absolue, c'est-à-dire jusqu'à atteindre le néo-primitivisme que Maurice Denis appelle de ses vœux au même moment.

Lugné-Poe se souvient avec émotion, dans *Le Sot du tremplin* (1930), de ces innovations scéniques : «Au troisième acte, la scène dite des "Poupées de Madame Solness" nous valut des protestations. Vuillard, qui aimait la pièce autant que Maeterlinck, avait réalisé pour cet acte-là un décor d'une splendeur incomparable [...]. Mais les spectateurs, à sa vue, restèrent tels des canards devant un couteau. C'était la première fois en France qu'on osait établir un tremplin à plan incliné sur des tréteaux, face au public, représentant la terrasse devant la maison de

Solness. Des frondaisons d'automne écrasaient les acteurs sur ce tremplin, et on distinguait des mouvements des comédiens les uns derrière les autres. Pas un visage n'était caché. Les comédiens ne devaient pas être à leur aise, mais qu'importe ! Tous réclamèrent en vain, je tins bon.»

Le génie particulier de Vuillard pour les scènes où les personnages paraissent glisser sur un sol qui se dérobe sous leurs pieds, pour les huis clos étouffants, se révèle en étroite intelligence avec les données du théâtre symboliste. Des pantomimes nocturnes telles

"Tout chef-d'œuvre est un symbole, et le symbole ne supporte jamais la présence de l'homme."
Maurice Maeterlinck

De par leurs caractéristiques formelles, les œuvres synthétistes de Vuillard sont à relier à la culture littéraire et théâtrale du peintre. Le goût de la pantomime et la nostalgie des jouets d'enfants affleurent nettement dans *L'Oie* ainsi que dans *L'Homme et les deux chevaux*. Bonnard, Vuillard et Sérusier animeront d'ailleurs des soirées de théâtre de marionnettes, telle la représentation des *Sept Princesses*, de Maeterlinck, chez le conseiller d'Etat Coulon, en 1892. Avec Alfred Jarry et le compositeur Claude Terrasse, ils fonderont le Théâtre des Pantins (1896-1898).

La mise à plat de l'espace et la précipitation des profondeurs annoncent les dispositifs qui seront méthodiquement utilisés par la scène expressionniste allemande (à gauche, en bas, esquisse de Ludwig Sievert pour *La Grand'Route*, de Strindberg, 1923).

que *L'Heure du dîner* ou bien encore *Intérieur, Mère et sœur de l'artiste* s'emploient à illustrer certains principes du théâtre de Maeterlinck qui donne souvent à ses personnages, selon ses propres termes, «l'apparence de somnambules un peu sourds constamment arrachés à un songe pénible», et qui forment avec le décor «une certaine harmonie épouvantée et sombre».

Dans *L'Heure du dîner*, Vuillard se montre, dans une scénographie des plus cruelles, relégué dans l'obscurité d'un pas de porte, écrasé par la triade familiale (Mère/grand-mère/sœur), qui entreprend un étrange sacrifice nocturne en occupant de front tout le cadre de scène. L'ironique chandelle jette une lumière de deuil, à contre-jour, sur le groupe matriarcal.

La scène du doute

De tous les nabis, Vuillard semble avoir été le plus totalement impliqué dans l'aventure du théâtre de L'Œuvre. Fondateur, avec Lugné-Poe et Camille Mauclair, de cette compagnie, responsable des décors et des programmes, son activité scénographique a été particulièrement intense entre 1893 et 1895. Il n'est pas interdit de penser qu'il a pu jouer un rôle dans le retournement esthétique du théâtre idéaliste, qui était très proche en 1890-1892 du décor préraphaélite, tout comme de l'esprit occultiste et néo-gothique des Rose-Croix : la période du Théâtre d'art de Paul Fort (1890-1892) fut marquée par des mystères médiévaux tels que *La Fille aux mains coupées* de Quillard (avec des décors de Sérusier :

«une toile d'or encadrée de draperies rouges et semée d'anges multicolores»), *Théodat*, de Gourmont (avec des décors de Maurice Denis : un fond d'or frappé de sept mille lions rouges) ou encore l'ésotérique *Cantique des Cantiques*, de Roinart. Paul Fort avertissait son public : «A partir du mois de mars, les représentations du Théâtre d'art seront terminées par la mise en scène d'un tableau inconnu du public. [...] Le rideau restera levé sur le tableau pendant une durée de trois minutes» (*L'Echo de Paris*, 30 janvier 1891).

Tous les nabis, à des degrés divers, ont participé aux mises en scène du théâtre idéaliste. Pour le Théâtre d'art, Sérusier a peint les décors et dessiné, en mars 1891, le frontispice de *La Fille aux mains coupées*, de Pierre Quillard (page de gauche), mystère en deux tableaux qui conte l'histoire d'une jeune fille voulant échapper aux «caresses incestueuses et brutales» de son père et abandonnée par celui-ci au gré des flots. Bonnard et Vuillard ont collaboré, avec Ibels, aux décors de la *Geste du roy* (décembre 1891), qui est en réalité un triptyque : Bonnard a réalisé ceux de «Fierabras» dans des tonalités orange (en haut, à droite, le géant Fierabras engagé dans un tournoi); pour «Berthe aux grands pieds», Vuillard et Ibels ont conçu des rochers violets et une pluie d'or; quant aux décors de «Roland», anonymes, ils étaient à dominante vert et or. Les costumes et les décors volontairement irréalistes et stylisés se mariaient idéalement aux archaïsmes du texte. Ce style, marqué par une horreur absolue du vide et proche des enluminures médiévales, se retrouve dans une illustration (en bas) de George Minne pour *L'Intruse*, de Maeterlinck (1894).

Avec L'Œuvre, ces afféteries disparurent, au profit d'Ibsen, de Strindberg et de Maeterlinck. La scène de Vuillard est résolument inscrite dans le monde contemporain, dans une modernité débarrassée de ses données politiques et sociologiques, mais dont la promixité étrange ne fait qu'aviver les processus d'identification qui débouchent sur l'inconfort et la terreur.

Dans ses souvenirs, Lugné-Poe insiste à plusieurs reprises sur le caractère primordial de la participation de Vuillard aux décors du théâtre de L'Œuvre : «J'ajoute d'ailleurs que, de tous, celui dès la première minute le plus intéressé par le théâtre et le meilleur conseiller d'ensemble fut Edouard Vuillard, qui m'accompagna souvent aux classes du conservatoire.» Et Sérusier se remémorait avec

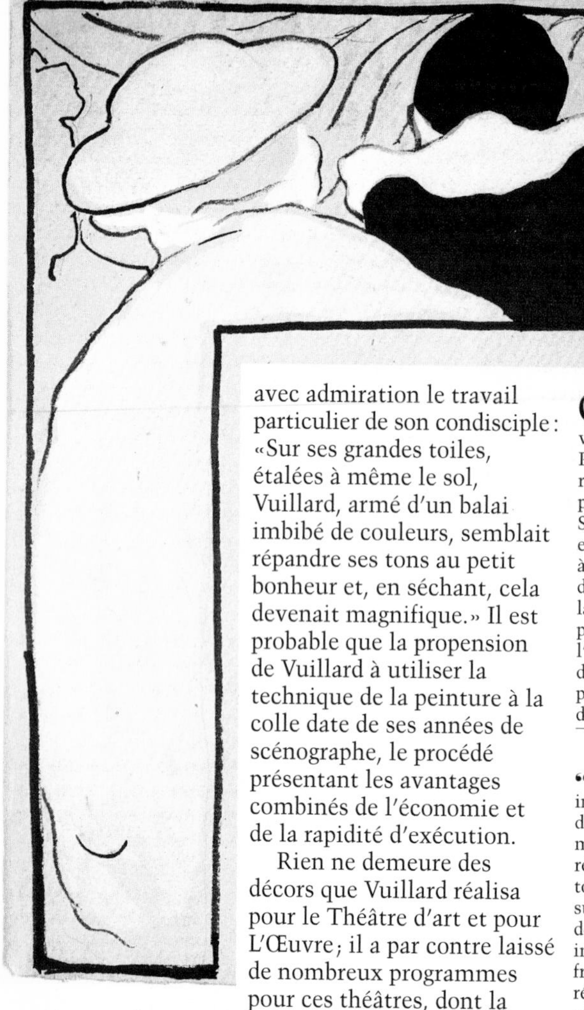

avec admiration le travail particulier de son condisciple : «Sur ses grandes toiles, étalées à même le sol, Vuillard, armé d'un balai imbibé de couleurs, semblait répandre ses tons au petit bonheur et, en séchant, cela devenait magnifique.» Il est probable que la propension de Vuillard à utiliser la technique de la peinture à la colle date de ses années de scénographe, le procédé présentant les avantages combinés de l'économie et de la rapidité d'exécution.

Rien ne demeure des décors que Vuillard réalisa pour le Théâtre d'art et pour L'Œuvre ; il a par contre laissé de nombreux programmes pour ces théâtres, dont la manière graphique diffère sensiblement des normes de sa peinture : trait hachuré, contours tremblés, jeu de flottement des textes dans l'espace laissé en réserve, émergence trouble des figures.

Les programmes de théâtre sont pour lui de rares incursions dans un répertoire violent qu'il évite

C'est dans un atelier ouvert aux quatre vents, 23 rue Turgot, à Paris, que les nabis réalisent leurs décors pour Lugné-Poe. Souvent, il s'agit d'une entreprise collective, à tel point qu'il est difficile de déterminer la part de tel ou tel peintre dans l'achèvement d'un décor. A gauche, un projet de frontispice de Vuillard.

“Discussions interminables autour d'une table de café : mirifiques projets de rénovation théâtrale ; toiles à sac brossées sur le plateau ; joie des réalisations improvisées à peu de frais ; imprévu des répétitions générales ; et l'amusante surprise d'un public docile ou scandalisé, jamais indifférent. [...] Nous avions la prétention de renouveler l'art du décor de théâtre.”

Maurice Denis

d'ordinaire. Pour *Un ennemi du peuple*, la houle des textes rejoint le tumulte de la foule en colère ; dans le frontispice de *L'Image*, de Maurice Beaubourg, il met en scène un homme qui, obnubilé par la créature idéale dont il rêve, étrangle sa bien-aimée. Du même Maurice Beaubourg, *La Vie muette* lui donne l'occasion de montrer une mère protégeant ses enfants des accès meurtriers de son mari. Le climat souvent irrespirable du théâtre idéaliste a pu être, pour le jeune peintre nabi, le moyen de conjurer des accès de violence que sa peinture laisse parfois deviner en filigrane.

Au théâtre (1899) fait partie de ces œuvres qui se déchiffrent progressivement, comme un puzzle. Généralement, on y voit une scène de café-concert vue de la salle. Il n'est pas interdit d'y reconnaître la fin d'un numéro d'illusionniste, la femme escamotée ou découpée à la scie. La femme se penche pour saluer le public, tout comme le magicien (à droite), qui a posé près de lui, sur une petite table, son haut-de-forme. Ci-contre, le programme d'*Un ennemi du peuple*, d'Ibsen (1894).

L'inquiétante étrangeté

Des œuvres aussi expressionnistes et noires que *L'Heure du dîner* ou *Deux Femmes sous la lampe* peuvent être mises en relation avec le climat lourd et suffocant des pièces d'Ibsen, de Strindberg ou de

Deux *Femmes sous la lampe* cadrent un moment d'intimité dans l'appartement du peintre, avec sa mère et sa sœur comme protagonistes obligées. L'atmosphère d'ensemble du tableau est cependant plus proche du théâtre de Maeterlinck et d'Ibsen, avec ce tête-à-tête muet et obstiné, ces figures vues en ombres chinoises, ou plutôt en taches d'encre, ce fauteuil qui bascule au premier plan et le papier peint rouge sang peuplé d'un vol de corbeaux, le tout noyé dans une implacable lumière jaune qui annonce les principes d'éclairage de la scène de L'Œuvre. A propos du décor réalisé par le peintre pour les *Ames solitaires* de Gerhart Hauptmann (décembre 1893), Alfred Jarry avait salué «le demi-deuil de la lampe verte sur les tables rouges où Vuillard a allumé la vie végétative qui fait si pâles les mains de Kaethe».

Beaubourg que Vuillard et Lugné-Poe mettent en scène ; on peut y déceler la présence active des hantises qui assaillent le peintre : peur de l'enfermement, de la solitude, voire terreur de la castration.

Dramaturgie du doute et de la suspension du temps mesurable, ce théâtre où s'est investi le jeune

peintre nabi est le pré-texte à des scènes d'intérieur apparemment intimistes dans lesquelles il sait instiller une panique muette et insondable, et qu'il soumet à une sorte de paralysie extatique.

Le goût prononcé de Vuillard pour un théâtre du mystère ne l'a pas empêché d'apprécier les divertissements plus populaires ni de sortir dans les cabarets. Comme Bonnard et Toulouse-Lautrec, il fréquente «Le Chat noir» et «Le Divan japonais» et ne dédaigne pas d'aller voir aux Bouffes du Nord, quelques mois avant *Pelléas* de Maeterlinck, les contorsions serpentines et obscènes de Miss Helyett, protagoniste de la comédie musicale d'Audran, dont la réplique la plus célèbre («A la disposicion de oustè») faisait se pâmer de rire le Tout-Paris.

Le regard furtif que Ker-Xavier Roussel adresse à sa fiancée, Marie Vuillard, est une des attitudes les plus émouvantes de l'œuvre du peintre nabi, comme un aveu de la tendresse qu'il éprouve pour ces deux êtres proches. La manière dont le prétendant se place dans l'atelier évoque les systèmes d'apparition latérale des acteurs sur la scène, entre des fermes recouvertes de couleurs vibrantes. La complexité des imbrications textiles, l'irréaliste pluie de flocons à travers la fenêtre entraînent cependant cette *Visite du prétendant* bien au-delà de la notation anecdotique pour atteindre à l'universel ; le critique Gustave Geoffroy songeait à «l'envers laineux d'une tapisserie».

Bien différente est la danseuse Biana Duhamel, emportée par la danse sinueuse de *Miss Helyett*. Les lignes proviennent directement des estampes japonaises dont Vuillard était familier. Quant à la chanteuse du *Divan japonais* (voir page 9), autre incursion de Vuillard dans le prosaïque, le cadrage en *close up* stylise son visage jusqu'à la caricature, accuse les effets d'éclairage violent propres au cabaret et transforme son cri en emblème du chant.

Vuillard exerce délibérément sa recherche dans l'articulation des images que lui propose sa mémoire. Il conjure son «tragique quotidien» en alliant très subtilement les lieux au défilement des anecdotes, un peu comme s'il voulait vérifier l'adage bergsonien : «La perception dispose de l'espace dans l'exacte proportion où l'action dispose du temps.»

CHAPITRE III

LES STRATÉGIES DU HUIS CLOS

L'irruption d'un personnage dans le champ du tableau pose toujours chez Vuillard la question de la profondeur en peinture, des décalages de plans et de l'emboîtement des espaces. Ce détail du *Grand Intérieur aux six personnages* en est une démonstration virtuose. Ci-contre, Vuillard à Villeneuve-sur-Yonne, chez les Natanson, en 1898.

André Chastel, un des premiers analystes de l'œuvre de Vuillard, avait raison de voir en lui un de «ces sensuels qui jouissent pleinement de leur acuité sensible». Sa peinture offre en effet le délectable paradoxe d'associer une iconographie d'essence presque janséniste – déjeuners familiaux, femmes corsetées des bottines jusqu'à la voilette, matinées enfantines – et d'articuler par ailleurs les effets de matière – criblage, rayures, mouchetage – qui trahissent une profonde sensualité.

Edouard Vuillard a quinze ans lorsque son père meurt, en 1883. Mme Vuillard dirige un atelier de confection de corsets, tandis que la sœur du futur peintre, Marie, en tant que fille de militaire, est pensionnaire de la Légion d'honneur. Ci-dessus, Mme Vuillard et Marie dans *La Causette*.

L'idole maternelle

Au centre focal de son univers, il a de manière définitive installé sa mère, qui est son sujet de prédilection absolue. Au cours de sa vie il l'aura représentée environ dans cinq cents peintures. Il serait difficile de se figurer une mère qui fasse plus d'efforts pour comprendre son fils, le seconder le plus discrètement possible, assister dans l'ombre à la moindre péripétie de son évolution créatrice. Durant les années d'apprentissage, c'est elle qui organise les célèbres «bœufs du samedi» au cours desquels le jeune peintre peut inviter ses camarades Roussel, Pierre Hermant et Paul Ranson. C'est encore à elle que Vuillard confie la surveillance du virage de ses propres photographies dans les assiettes à soupe tandis qu'elle coud devant la fenêtre. Dans son Journal, les mentions concernant sa mère abondent de 1888 à 1894, puis à partir de 1907 et jusqu'à la mort de celle-ci en 1928.

Au cours de la période nabie, il la dépeint très souvent en compagnie de sa sœur Marie. *La Causette*

«[Vuillard] était le troisième enfant d'une mère admirable qui vivait d'une entreprise de colifichets féminins, dans un entresol obscur de la rue du Marché-Saint-Honoré. [...] Elle croyait en sa mission et s'y était consacrée avec une confiance et une abnégation presque sans exemple.»

Pierre Veber, *Mon ami Vuillard*, 1938

(1892) les abstrait toutes deux en une masse noire et une masse blanche qui s'affrontent en déséquilibre dans le centre du tableau, chacune murée dans sa logique, au sein d'une atmosphère où l'air paraît s'être considérablement raréfié.

Plus impressionnant encore est l'*Intérieur. Mère et sœur de l'artiste* (1893), où Mme Vuillard forme une masse sombre comme une idole basaltique qui s'enracine dans le sol d'où elle semble tirer toute sa force et sa puissance, alors que Marie, reléguée à une extrémité de la pièce et courbée comme pour rentrer dans les limites du tableau, se fond à l'intérieur de la tapisserie tel un caméléon timide. Le contraste est accusé entre les représentations de sa mère dans ses tableaux de jeunesse, où elle apparaît comme autant d'icônes de l'interdit, et les compositions plus tardives, considérablement plus rassurantes et réalistes.

On peut déceler chez Vuillard, qui voue un profond attachement à la vie familiale, une horreur de la norme. Même si on le croit résigné aux atmosphères étouffantes des salles à manger où flotte un parfum de café froid, son expressionnisme éclate dans *Mère et sœur de l'artiste* : l'exiguïté psychologique de la pièce est précipitée par le raccourci des lignes de fuite du mur, qui consacre la présence monumentale des deux femmes.

En réunissant sur une même toile *Vallotton et Misia dans la salle à manger, rue Saint-Florentin* (1899), le peintre aura sans doute été sensible au décalage existant entre le scepticisme taciturne de Vallotton et la volubilité de Mme Natanson, la seule à oser appeler le peintre suisse «mon petit Vallo». Ci-dessus, une photographie par Vuillard de Misia dans le même salon.

«Terriblement célibataire»

Vuillard est un des artistes qui se livre le moins. Une fois seulement, dans son Journal, en 1894, au détour de détails anodins, il confesse avoir livré un secret («en sortant, confidence sentimentale pour la première fois à Bonnard. Triste»), et encore ne saurons-nous jamais de quoi il s'agit. Toutefois, le souvenir de ses proches et une lecture entre les lignes de son Journal, ainsi qu'une interprétation subjective de sa peinture, peuvent laisser comprendre qu'il vécut un amour étouffé pour Misia Natanson, la trop belle et capricieuse femme de Thadée Natanson chez qui toute l'avant-garde idéaliste, nabie et post-

Arrivé tardivement dans le groupe des nabis, Vallotton, originaire de Lausanne, devait sa réputation à ses caricatures pour *L'Assiette au beurre* autant qu'à ses gravures sur bois moquant ses contemporains.

impressionniste aimait à se retrouver. Jeune, fascinante, pianiste inspirée, Misia fut en quelque sorte une des muses de la Belle Epoque. Sachant à merveille attiser les passions secrètes de Bonnard, de Toulouse-Lautrec, de Mallarmé, elle sut mieux que toute autre l'ascendant qu'elle pouvait exercer sur le timide Vuillard.

En 1893, Vuillard vit le cercle étroit de ses amis accéder au mariage : tandis que sa sœur Marie épousait Ker-Xavier Roussel, l'ami de toujours, Maurice Denis se mariait avec Marthe Meurier et Thadée Natanson avec Misia. De son propre aveu, il se sentit plus que jamais «terriblement célibataire». Il accepta avec résignation cette condition tout au long de sa vie, ne se maria jamais et n'eut jamais d'enfants. Et pourtant son univers est un univers féminin, voire du féminin, où l'homme, lorsqu'il y pénètre, n'a que le statut d'une caricature et n'entretient jamais un rapport d'élection avec l'espace environnant. Immergé dès sa jeunesse au sein de l'activité fébrile de l'atelier de sa mère, doté d'une sensibilité des plus involutives, Vuillard a toujours associé la femme à un monde de tissus, de dentelles, de tapisseries, à un univers tactile et texturel qui paraît vouloir éluder la présence de la peau.

Misia Godebska (1872-1950) était habituée à se voir entourée d'admiration. Remarquée par Franz Liszt dès son enfance, ses talents de pianiste étaient tels qu'elle fit pleurer Gabriel Fauré, son professeur, en lui annonçant son mariage avec Thadée Natanson. Mallarmé lui dédia des poèmes. Egérie de *La Revue Blanche,* elle tint salon entre la rue Saint-Florentin, à Paris, et la maison de Valvins, puis de Villeneuve-sur-Yonne. Elle prétend dans ses *Mémoires* que Vuillard lui adressa un jour une déclaration d'amour silencieuse. Quoi qu'il en soit, ils se virent moins après 1900. (Ci-dessous, une page du Journal du peintre.)

mais de personnages … D'autre
attention se porte sur les hommes, je vois toujours
… qu'un sentiment d'objets ridicules. Jamais devant
… toujours moyen d'isoler quelques éléments qui
… peintre.

Marie Vuillard à sa fenêtre semble absorbée dans la contemplation d'un spectacle qui nous échappe. Une attitude que Vuillard excelle à montrer.

Un agencement de lambeaux arrachés à la mémoire

Loin de vouloir recenser la banalité quotidienne des appartements petit-bourgeois de son époque, Vuillard met en œuvre des modes discursifs avec l'intention non formulée de résorber la matière qui apparemment les révèle. On a parfois le sentiment qu'il duplique dans le tableau un certain nombre d'objets, qu'il assène des présences comme le ferait un fétichiste. Et pourtant, ces objets, ces détails dérobés à leur trivialité sont toujours disposés dans le tableau sous forme de fragments, mais comme étroitement imbriqués à une seule et même texture. Nombreuses sont les œuvres de l'époque nabie où l'acte de peindre s'identifie presque immédiatement à celui de coudre ou de découper le tissu, à tel point qu'on a pu parler de la qualité

Par le sujet, *Femme dans un bar* est une des œuvres qui se rapprochent le plus de Degas et de Toulouse-Lautrec ; et pourtant la robe est composée comme une tunique de femme séraphique de Maurice Denis, ou comme le *Peignoir* de Bonnard, avec des motifs déposés sur un champ monochrome.

Le monde intérieur de Vuillard se cristallise dans la représentation du travail. On sent qu'il atteint l'absolue délectation en montrant des couturières absorbées par leur ouvrage au bord de la fenêtre. Il s'agit sans doute de la même chambre que dans *L'Aiguillée* (page suivante); ici, sur *La Couseuse*, la figure paraît s'abstraire dans le déluge des motifs à fleurs du papier peint, répétés à l'infini.

rhapsodique de cette peinture. Pour Vuillard, il n'est pas question de succomber aux sirènes du sujet contemporain : scènes urbaines, filles des rues, chevaux, fiacres, soit une iconographie chère à Toulouse-Lautrec, Anquetin, Forain. C'est à une modernité plus humble, aux rythmes plus lents et aux secrets inépuisables qu'il s'intéresse. Puisqu'il connaît mieux que tout autre spectacle les cadences intimes de l'atelier de couture, puisqu'il a scruté depuis son enfance les arcanes de l'assemblage des tissus, sa peinture expose avant tout des dispositifs de montage de plans, de collage de surfaces hétérodoxes. Et l'éblouissement réside bien dans le fait que cette cérébralité voulue de la composition ne l'emporte pas, malgré tout, sur une intériorité émouvante qui excède les limbes du visible.

En poussant les choses à l'extrême, Vuillard aurait pu faire sien le mot de Degas, rapporté par Claude Roger Marx : «Un tableau est une œuvre artificielle, hors nature, et qui exige autant d'astuce que la perpétration d'un crime.» Une fois évaporée la première sensation épidermique à la contemplation d'une toile de Vuillard, ce qui paraît l'emporter en nous, c'est l'admiration intellectuelle pour la virtuosité de la composition : montages de fragments, pages de souvenirs, agencement de lambeaux arrachés à la mémoire, une mémoire qu'il sait proliférante.

Auteur de tableaux aussi étranges que *Femme au placard* (1895), où la forme féminine devient elle-même un des pans de l'armoire, il ne se montre jamais embarrassé par les rapports d'échelle entre les personnages et le décor qui les environne. Voire, l'échange qui s'établit entre les silhouettes et leur environnement fonctionne au point de faire perdre aux premières leur identité dans l'espace.

“En dissimulant les contours de ses personnages, Vuillard soumet l'identité de la femme au travail à son travail même, et confère à ce dernier un sens de beauté et de quiétude à travers l'entrelacs délicat des lignes et des couleurs, de la silhouette et du dessin. Lorsqu'il peint sa famille dans un intérieur, en revanche, il tourne son attention vers les êtres, vers leur personnalité et leurs relations ambiguës, souvent troubles. [...] Le sens d'une intimité intense, presque d'un langage secret, qui plane sur la famille de Vuillard concerne l'esthétique symboliste avec autant d'éloquence que le langage décoratif de ses peintures de couturières.”

Elisabeth Easton

« Tout concourt à voir logiquement dans la paire de ciseaux un instrument en train de couper littéralement dans la peinture, comme dans le tissu du vêtement alors identifiable à la toile du tableau. Dans les peintures où la touche ponctuelle prolifère (celles au sujet desquelles la critique a inévitablement évoqué la tapisserie), le thème ambivalent couture-peinture, c'est-à-dire la peinture assimilée à la couture (et vice-versa) prend tout son sens. C'est comme si l'interstice introduit dans la structure des couturières était refermé, recousu et incorporé à la trame du pigment. »

Henry-Claude Cousseau et Deepak Ananth, «Les Ruses de l'intimisme», catalogue *Vuillard,* 1990

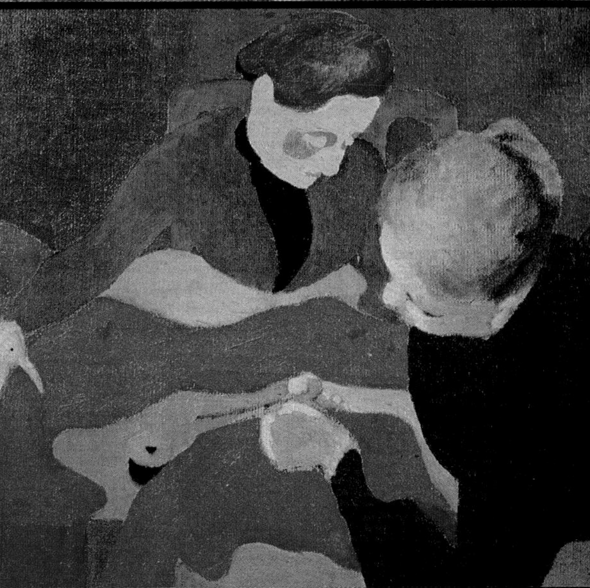

Le geste délicat de la couturière de *L'Aiguillée* (page de gauche) tirant le fil prend une dimension intemporelle, sans doute à cause du contre-jour dans lequel la place le peintre. Un portrait masculin semble prêt à basculer sur un fouillis de lingerie. Deux autres *Couturières* (ci-contre, 1891; en haut, 1893) montrent le chemin parcouru en peu de temps par le peintre, depuis les aplats cernés jusqu'au mouchetage obsessionnel des papiers peints et aux imbrications complexes d'objets.

Le Corsage rayé (ci-contre), l'un des cinq panneaux d'un ensemble décoratif réalisé pour Thadée Natanson en 1895, constitue le degré ultime de la difficulté qu'ont les formes, chez Vuillard, à émerger de la masse décorative qui les cerne. Le corps devient en quelque sorte le champ par lequel se fait l'échange de matière (le traitement des rayures du corsage est, à ce titre, particulièrement impressionnant), et la lecture de chaque scène au premier coup d'œil devient pratiquement impossible.

Maints tableaux de jeunesse se lisent comme une énigme, se recomposent comme un puzzle. C'est que le peintre réécrit lui-même la réalité à partir d'une perception à la fois subjective et fluctuante qui doit beaucoup aux sollicitations de ce que Bergson a nommé la mémoire involontaire. Il serait plus juste, dans le cas de Vuillard, de parler de souvenirs coagulés. Comme le dit le philosophe dans *Matière et mémoire* : «En fait, il n'y a pas de perception qui ne soit imprégnée de souvenir. Aux données immédiates et présentes de nos sens nous mêlons mille et mille détails de notre expérience passée. Le plus souvent ces souvenirs déplacent nos perceptions réelles, dont nous ne retenons d'ailleurs que quelques indications, simples signes destinés à nous rappeler d'anciennes images.» Loin de répondre à des questions par sa peinture, Vuillard témoigne seulement du passage clandestin d'un certain nombre d'objets à l'intérieur du cadre du tableau, les deux déplacements (glissement/cadrage) étant à la fois simultanés et aléatoires.

Le silence des intérieurs trop pleins

La plupart des commentateurs de l'œuvre de Vuillard ont été sensibles à la résonance musicale de ses intérieurs bourgeois. Des œuvres telles que le *Salon aux trois lampes rue Saint-Florentin* ou *Misia au piano* ont été bien entendu commentées dans ce sens. Mais ce qui frappe encore plus dans des compositions

Misia au piano et Cipa [son frère] *l'écoutant*, absorbé par l'écoute de la musique. Un clin d'œil : au-dessus du piano est accroché un des panneaux pour Thadée, *L'Album*.

célèbres comme les quatre panneaux pour le docteur Vaquez de 1896, c'est la qualité exceptionnelle, presque tactile, du silence qui règne dans ces intérieurs trop pleins. Sans profondeur, insonores, ne supposant que des déplacements latéraux dans le champ clos du tableau, des œuvres telles que *La Bibliothèque* ou *Le Piano* exposent une peinture qui met en abîme son propos. Ici encore, le peintre retrouve les suggestions de la pensée de Maeterlinck qui, dans *Le Trésor des humbles* (1896), expose des idées analogues : «Les paroles passent entre les hommes, mais le silence, s'il a eu un moment l'occasion d'être actif, ne s'efface jamais, et la vie

L'identification des protagonistes du *Grand Intérieur aux six personnages* (1897), scène multiple et sans action, ajoute sans doute à sa compréhension : à l'extrême gauche, Mme Vuillard, à laquelle fait peut-être face Marie ; au centre, Ker-Xavier Roussel, ou bien Paul Ranson, accompagné de sa belle-sœur.

véritable, la seule qui laisse quelque trace, n'est faite que de silence.»

Le *Grand Intérieur*, avec ses six personnages en quête d'une raison d'«être là», fonctionne paradoxalement sur l'alliance d'un fracas chromatique dû à l'imbrication inouïe des tapis, des meubles, des papiers peints, des tapisseries murales et des robes avec le silence étanche que garantit cet habillage textile de l'espace. Comme pour prendre congé des petites chambres à ouvrage présentées en séquence, il déploie un espace discontinu et écartelé, matérialisant ainsi la répartition panoramique du souvenir.

L'impression s'insinue qu'étrangers les uns aux autres, ils n'appartiennent pas au même espace, que l'on a devant soi trois bandes parallèles et verticales, délicatement suturées, qui exposent trois décors discontinus en chute permanente vers le bas, donnant le sentiment d'échouer sur le tapis bariolé, et cousus entre eux.

Et lorsque Vuillard institue le leurre d'une profondeur de champ, comme dans *Intérieur chez les Natanson*, où la chambre paraît dilatée par l'effet du miroir, il ne fait que proposer un piège maïeutique où l'enfermement se redouble lui-même, comme l'exprimait à quelque temps de là Georges Rodenbach dans *Le Règne du silence* :
«Et l'amour absorbant et profond du miroir
Attriste d'infini la chambre qui se doute
D'un désaccord entre eux aux approches du soir,
Sentant que le miroir ne la contient pas toute !»

Les effets de pénombre très suggestifs que Vuillard obtient dans certains de ses intérieurs (ci-dessous, *Intérieur chez les Natanson*, à droite, *Intérieur-Mystère* ou *La Lampe à pétrole*) procèdent des techniques d'éclairage du théâtre symboliste (lumière violente venue des coulisses en particulier).

Mallarmé, calme bloc

En vérité, Vuillard croit comme Maeterlinck, et plus encore comme Stéphane Mallarmé, que les desseins mystérieux de l'existence peuvent être révélés en portant attention non pas aux humains, mais

Dans ses *Souvenirs d'un marchand de tableaux*, Ambroise Vollard rapporte la réponse que lui fit Stéphane Mallarmé à la proposition de laisser Vuillard illustrer *Hérodiade* : «Je suis heureux de me savoir édité, mon cher, par un marchand de tableaux. Que Vuillard ne quitte point Paris sans avoir fait de bonne réponse. Dites-lui, pour l'encourager, que je suis content du poème rallongé. Pour une fois, c'est vrai.» Ci-dessous, une photographie de Mallarmé fixant l'objectif de son œil impassible, avec son éternel plaid sur les épaules, et tenant sa plume comme un scalpel.

beaucoup plus aux choses qui les environnent. Que Vuillard ait connu Mallarmé ajoute peu à une possible interprétation poétique de sa peinture.

Jacques Salomon, le neveu de Vuillard, nous rappelle que le peintre assista à la première lecture d'un *Coup de dé* chez le poète. «Cette soirée le laissa interdit et le côté "chapelle" de la salle à manger de la rue de Rome le réfrigéra tout de suite. Il se contentait de sourire quand nous lui demandions l'impression que lui avait laissée la lecture du célèbre poème.» L'écrivain lui dédicaça un exemplaire de *Divagations*, et l'éditeur Vollard pensait lui confier l'illustration d'*Hérodiade*. Mallarmé s'en réjouissait, mais le projet tourna court à cause de la mort du poète. Vuillard le rencontra à plusieurs reprises chez lui, à Valvins, et il en esquissa des portraits au crayon. La connivence des deux œuvres est toutefois d'une nature plus subtile.

Froissements abolis

L'exploration immobile et solitaire de l'inconnu que le peintre accomplit a pour centre focal l'appartement parisien où il vit avec sa mère, cet atelier où s'activent en silence d'anonymes couturières, et qui forme l'horizon de son aventure intérieure. C'est à partir de ce monde apparemment clos que le jeune peintre vérifie les possibilités de contraction et de dilatation extrêmes de l'univers ; en se retirant en lui-même, il entame sa prospection des champs possibles de la peinture. Vuillard paraît faire sienne l'affirmation de Mallarmé : «La Nature a eu lieu, on n'y ajoutera pas.»

Il est en effet de ces artistes de la fin du siècle, tels Redon ou Whistler, conscients de la douloureuse impuissance à laquelle semble condamnée toute représentation de la réalité, toute évocation de l'objet, alors même que nos sens en devinent les résonances illimitées, et que l'esprit en pressent la véritable plénitude. D'où chez lui une poétique de l'absence, une combinatoire des pleins et des vides qui évoquent irrésistiblement l'hermétisme mallarméen, et laisseraient croire que sa peinture est le lieu de transposition privilégié des froissements de dentelles abolies, des placets futiles, et autre *Sonnet allégorique* de lui-même.

Et pourtant, comme le fait remarquer Yves Bonnefoy à propos du poète, «la suggestion de l'objet ne s'établit pas dans le manque, pour autant ; car elle en remémore l'intégrité oubliée». La peinture nabie de Vuillard, loin de stagner dans les miasmes d'une conscience auto-annulatrice, progresse

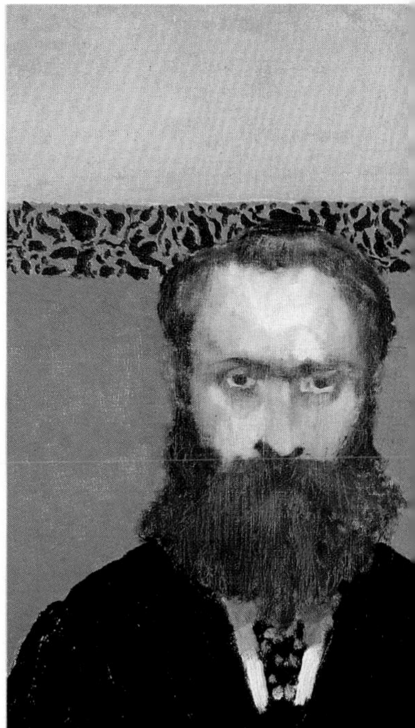

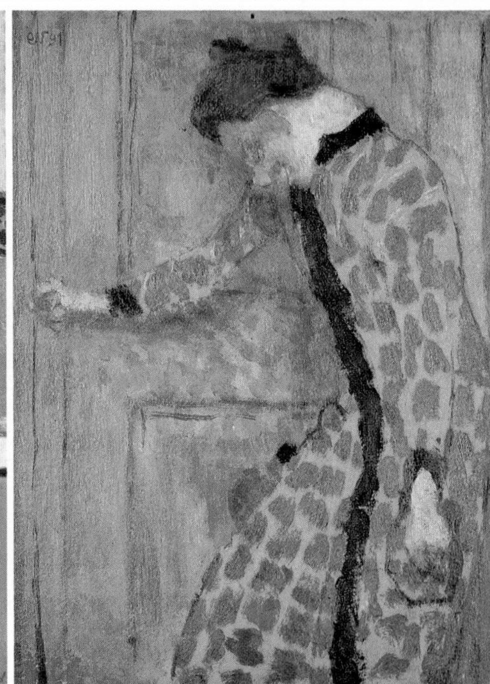

par l'affirmation quasi obsessionnelle de son monde familier, dont les bornes visibles (fauteuils, portes, papiers peints, dessertes, tous témoins des drames muets de la vie familiale) sont autant d'objets sans qualité sur lesquels se fixe son très subtil discours de la peinture, et qui jouent le même rôle que les phonèmes dans la poésie de Mallarmé, pourvoyeurs d'un sens qui se superpose et enrichit l'image invoquée par le mot.

D'où, chez Vuillard, ce discours de la tache imbibant la toile, du collage des plans, des écrasements de perspective, qui lui permet d'oblitérer le réel qu'il aime à mesure qu'il l'expose. Loin d'être, selon les termes de Mallarmé, une pensée impuissante à «regonfler des souvenirs divers», la poétique vuillardienne institue une très originale contraction du temps dans l'étuve du tableau, dont les repères sont souvent d'une totale hétérotopie.

« A vingt-cinq ans, malgré sa fraîcheur d'âme, et malgré son rire, Vuillard a perdu [...] toute insouciance : il est stable, logique et se contrôle constamment ; jamais la sensualité ne l'obsède, jamais l'imagination ne l'égare» (Claude Roger Marx). Vuillard a à peine vingt-cinq ans lorsqu'il peint cet *Autoportrait* (1892). A gauche, *La Grand-Mère Michaux* quelque temps avant sa mort en 1893. Ci-dessus, *Jeune Fille près d'une porte* (1891).

Le délectable et le spéculatif

En s'employant à représenter sans cesse les métaphores d'un univers textile, il ne fait qu'aviver et fixer l'analogie entre le peint et le texturel, offrant par là une unité décorative à son œuvre apparemment fragmentée, ce qu'André Chastel avait fort pertinemment exprimé : «L'approfondissement du motif simple, qui ruine les anciens développements imaginatifs, procède d'un mouvement à la fois sensuel et abstrait. Il exige un lien décoratif où l'objet s'insère à sa place, les formes étant doublement soutenues par la décision qui les isole et par la volupté qu'elles éveillent et qui, à son tour, les renforce.»
Une œuvre aussi accomplie que les *Trois Femmes au*

Femmes au papier peint rose (1895) est une des plus parfaites variations sur le thème des couturières. La combinaison de la posture hiératique du personnage central avec l'agitation industrieuse des deux autres figures est comme un écho au collage de surfaces planes (le lit, le paravent) et de surfaces bariolées (le mur, le tapis). Ci-contre, *Près de la fenêtre*, avec le merveilleux effet de lumière dorée qui pénètre la pièce à travers le treillis.

papier peint rose (1895) répond idéalement à cette double finalité du délectable et du spéculatif : arrêtées dans leurs tâches domestiques les plus banales, comme sous l'effet d'un ralenti, les figures sont hiératisées au point de renvoyer au souvenir, très présent chez un peintre aussi cultivé que Vuillard, des fresques de la villa des Mystères à Pompéi et de la tapisserie médiévale, manière de mettre un peu plus à distance ces emblèmes d'une sensualité flottante qui assaillent la conscience du jeune peintre.

« Vuillard semble avoir compris très tôt que le champ de ses découvertes serait limité, qu'il ne trouverait de bonheur que dans un monde protégé. Mais son sens inné de l'harmonie ne lui suffit plus : ce qu'il voudrait affirmer, maintenant, c'est la parfaite entente entre le cadre même et les solides qu'il contient. [Il] s'impose, et parfois avec une certaine barbarie (si paradoxal que le mot paraisse quand on connaît sa douceur) des méthodes de composition ; il sacrifie, dans le sens cruel du mot. [...] Du mouvement sans dispersion, un clair-obscur léger, des abréviations sans sécheresse, le don de laisser à dessein dans le vague certaines zones pour mieux préciser un détail évocateur. Il y a là tout un bouleversement de l'ordre hiérarchique, tout un bouleversement des valeurs effectué avec le concours du conscient et de l'inconscient. Ces trouvailles sont du même ordre que celles du poète : jeux d'élisions, d'allitérations, d'assonances, césures multipliées [...]. C'est moins le sujet apparent que nous voudrions décrire que la matière dont ces toiles sont tissées, les rapports [...] de tons, de valeurs ou de rythmes. »

Claude Roger Marx

Si Vuillard nous apparaît comme le maître incontesté du temps infinitésimal, des déplacements imperceptibles, du presque rien, de la confidence sussurée, est-ce à dire que son talent ne peut s'exercer que sur des formats de petites dimensions ? De par sa maîtrise des formes impalpables et des micro-organismes, il serait logiquement condamné aux extases menues. Et pourtant, dès le milieu des années 1890, Vuillard va se révéler un grand décorateur.

CHAPITRE IV
LES GRANDS DÉCORS

Le Piano (à gauche) est l'un des quatre panneaux peints pour le Dr Vaquez en 1896 ; il s'accompagne de *La Couture, La Liseuse, La Bibliothèque,* quatre moments d'un intérieur féminin où résonnent des harmonies secrètes. A droite, détail des *Jardins publics.*

Dès l'origine, les nabis avaient réclamé des murs à peindre pour sortir de la logique contraignante du tableau de chevalet : «Le travail du peintre commence là où l'architecte considère que cesse le sien...», s'exclame Jan Verkade dans *Le Tourment de Dieu*. Attentifs à l'exemple des *Arts and Crafts* de William Morris, ils ont très tôt considéré que leur art ne se limitait pas à la surface plane mais devait investir tout leur environnement visuel : meubles, tapisseries, papiers peints, vases, sculptures, etc. Peintre avant tout, Vuillard s'attachera à «inventer» toutes les combinaisons que lui offre le pan mural.

«Solitaire Puvis»

Les commentaires concernant l'œuvre de Vuillard ont très tôt mis au jour l'influence exercée par la tapisserie médiévale, et en particulier les tapisseries «aux mille fleurs» qu'il avait découvertes dans les pérégrinations muséales de sa jeunesse. De même, sa connaissance approfondie de la grande peinture française du XVIIIe siècle lui fait déceler chez Le Brun et Vouet «une facilité de décor» qu'il envie.

Mais c'est sans doute au modèle des «murailles» de Puvis de Chavannes qu'il faut imputer la virtuosité du grand décor vuillardien. A première vue, il serait difficile de trouver des correspondances entre les scénographies immenses de Puvis, peuplées de figures hiératiques et transparentes, telles les grandes compositions du Panthéon ou, mieux encore, *Le Bois sacré*, et les intérieurs ramassés de Vuillard où des petites femmes anonymes s'affairent sur un fond de papier peint moucheté. Et pourtant Vuillard partage avec Puvis un amour commun de la pureté, des rythmes calmes.

Maurice Denis s'était également montré très sensible à la faculté qu'avait Puvis de tendre à

"Visite hier à Cluny. Les tapisseries et les enluminures de missels. [...] Dans la tapisserie, je pense qu'en agrandissant purement et simplement mon petit panneau cela ferait le sujet d'une décoration. Sujets humbles que ces décorations de Cluny ! Expression d'un sentiment intime sur une plus grande surface, voilà tout. La même chose qu'un jardin par exemple."

Journal, 16 juillet 1894

Ci-dessus, un détail du *Piano* et une tapisserie «aux mille fleurs» du Musée de Cluny.

Certaines zones neutres de la composition du tableau *Au lit* (détail en bas) renvoient à des abstractions matérielles de Puvis de Chavannes, à ses aplats minimalistes qui sont presque de la non-peinture, telle la surface marine sur laquelle se reflète la barque du *Pauvre Pêcheur*.

l'objectivation du propos, de faire de la forme la matrice du symbole : «J'ai visité hier l'exposition des œuvres de Puvis de Chavannes. J'ai trouvé très beau l'aspect décoratif calme et simple de ses peintures : couleur murale admirable : il y a des harmonies de tons pâles. [...] La composition sage, grande, éthérée, m'étonne : elle doit être prodigieusement savante. C'est elle sans doute qui produit sur l'âme cette impression douce et mystérieuse qui repose et élève» (Journal de Maurice Denis, 18 décembre 1887).

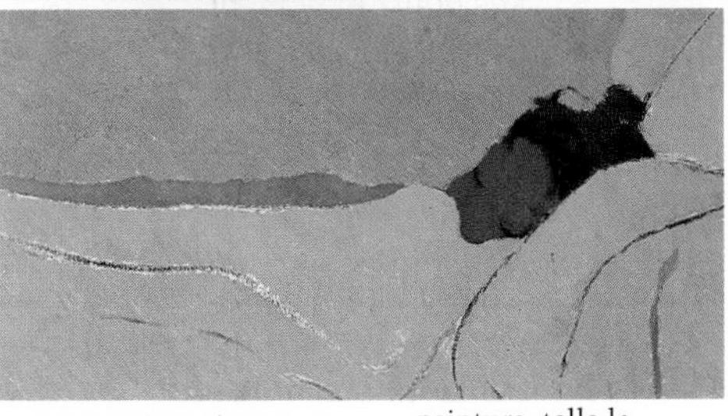

Même dans certaines compositions nabies, on peut déceler les suggestions subtiles de l'art de Puvis : Vuillard paraît vouloir lui emprunter un certain minimalisme de la forme qui s'exprime dans la stylisation presque graphique des figures, tout comme dans cette faculté de décanter les éléments qui rattacheraient ces mêmes figures au monde contemporain. Les silhouettes de couturières comme celles de Puvis sont en quelque sorte hors du temps ;

sur elles pèse la condamnation commune d'une déambulation muette à l'intérieur du cadre du tableau, d'un échange de regards silencieux qui trahit une profonde absorption intérieure.

Intimités en plein air

L'empreinte de Puvis est cependant beaucoup plus évidente dans la première grande composition décorative de Vuillard, les *Jardins publics*, série de neuf panneaux qui lui sont commandés par Alexandre Natanson, frère de Thadée, en 1894, pour son appartement de l'avenue du Bois-de-Boulogne (aujourd'hui avenue Foch). Ces panneaux, à présent dispersés, sont considérés généralement comme l'un des sommets de la peinture post-impressionniste.

Les figures obligées de l'environnement de Vuillard sont toujours présentes (nounous auvergnates, écoliers jouant à cache-cache, petites filles modèles), mais ici la vision du peintre devient progressivement panoramique, bien que dominent encore dans la composition les formats en hauteur. Si les personnages sont vus frontalement, le sol est par contre rendu en plongée précipitée ; il occupe presque les deux tiers de la composition et les êtres humains sont comme déposés sur ses délicates moirures grises, mauves et blondes. Le lieu de rencontre entre ce sol sablonneux et les massifs de végétation qui forment le fond crée une sorte de ligne d'horizon continue qui assure le lien décoratif entre les panneaux séparés. Il n'y a ainsi plus de vide, plus de trou dans la composition, comme cela pouvait encore être le cas dans les panneaux Desmarais. Les personnages apparaissent toujours tissés à même la toile, transposés qu'ils sont dans ces «intimités en plein air».

Vuillard accomplit ainsi le principe que le critique Edmond Duranty appelait de ses vœux lors de la première exposition impressionniste (1874) : «Nous ne séparons plus le personnage du fond d'appartement

ni du fond de rue.» Il fixe toujours son système perceptif sur une modernité du spectacle immédiat, sur l'évidence de l'instant ; les panneaux pour le docteur Vaquez (1896), avec leur atmosphère de serre chaude et leur touche qui traduit un point de tapisserie, cette «touche définitive» qu'admirera Matisse, sont une transposition directe du monde familier et intime de Vuillard dans des dimensions élargies, mais qui demeurent proches du modèle de jeunesse du huis clos.

Il existe un certain nombre d'esquisses préparatoires à la composition des *Jardins publics*, y compris un plan de leur disposition au mur de l'appartement d'Alexandre Natanson, où ils formaient autant de fenêtres ouvertes sur un espace imaginaire. *Les Petits Ecoliers*, guetteurs éphémères, témoins d'un ballet fantomatique d'ombres qui peuplent, au loin, les frondaisons de ces Tuileries recomposées, l'espace d'un instant, en sous-bois symboliste, sont un des panneaux les plus saisissants. Le regard des enfants sur les mystères du monde est une constante de la culture de la fin du siècle, et en particulier de la peinture nabie. Tout au long de sa vie, Vuillard se montrera sensible à la perception que les enfants ont de l'espace, à leur élection très particulière des objets dans un système de hiérarchies dimensionnelles qui leur est propre.

Jardins publics

Jardins publics se décomposaient à l'origine en neuf panneaux. Seuls huit subsistent à l'heure actuelle, dont, page précédente, *La Conversation, Les Nourrices, L'Ombrelle rouge*, et ci-contre, *Les Fillettes jouant, L'Interrogatoire* et *Sous les arbres*. Avec la présence continue de la végétation et du gravier d'un panneau à l'autre, l'impression de séquences vues à partir d'un point d'observation central devait être parfaite, ainsi que l'illusion d'un cyclorama se déroulant à l'infini. Les effets de couleurs sont parmi les plus éblouissants qu'ait jamais réussis Vuillard. Utilisant à partir de son expérience théâtrale la technique plus rapide de la peinture à la colle, il obtient, selon le mot du critique Gustave Geoffroy, «des sursauts magiques de lumière» avec des teintes étonnamment mates. Interrogé par ses amis sur les couleurs qu'il avait employées, Vuillard aurait répondu qu'il utilisait «les plus mauvaises. Celles que j'achetais chez le droguiste du coin : les verts anglais, le bleu charron et le blanc de Meudon en pain».

Le déroulement panoramique

Il faut attendre le tournant du siècle pour que Vuillard s'attaque à des compositions réellement monumentales. *Les Paysages. Ile-de-France*, qu'il réalise en 1899 pour Adam Natanson, le père de Thadée et d'Alexandre, en sont la démonstration virtuose. Dans *La Fenêtre sur les bois* et *Les Premiers Fruits*, le peintre déroule un paysage sur quatre mètres de long, encadré par une bordure végétale qui est directement issue des grandes murailles de Puvis de Chavannes (celles de *Marseille, Porte de l'Orient* et du *Bois sacré* en particulier) et fonctionne ici comme un écran d'inscription, presque impuissant à contenir une nature qui prolifère et déborde de ces limites, jusqu'à engloutir les quelques personnages qui s'y risquent.

La végétation est transposée, presque artificielle, faite de bandes longitudinales juxtaposées qui ont une fois encore à voir avec les techniques de la tapisserie.

Les Premiers Fruits (ci-dessus) sont peints à l'huile sur toile et non plus à la colle. Ils passèrent pour un temps dans la collection de Léon Blum.

Comme le remarquait Maurice Denis à propos de Puvis, Vuillard métamorphose les feuilles, les troncs d'arbres, les fleurs en motifs architecturaux, qu'il stylise et répète *ad libitum*. La dominante vert-gris de ces deux compositions confère à la scène une lumière de contre-jour, qui donne l'impression que les figures humaines émergent en permanence d'une éclipse.

Au cours de cette période, le goût pour les théories de la peinture commence à s'épuiser; l'ensemble du groupe nabi, qui reste uni par une très vive amitié, s'oriente vers des solutions picturales qui laissent une plus grande place à la sensibilité atmosphérique tout comme aux suggestions de la peinture ancienne. Vuillard n'emporte pas pour autant son chevalet à la campagne et se refuse toujours à peindre sur nature; tout au plus ne cesse-t-il pas d'enregistrer des notes sur le carnet de croquis qu'il tient à la main.

Cette conversion presque impressionniste du grand décor, il la réalise dans deux grandes séries

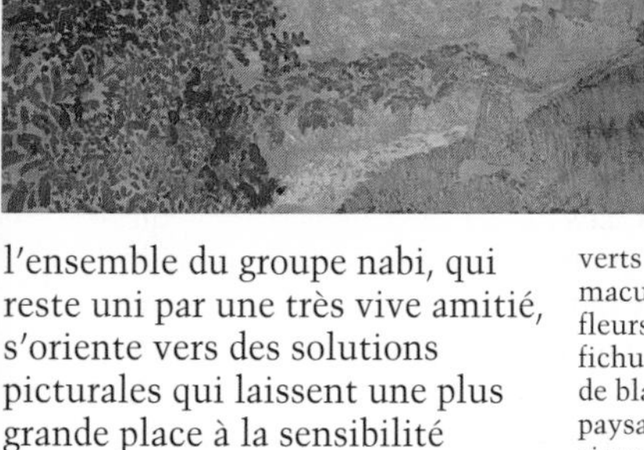

L'ouverture panoramique de ces *Paysages. Ile-de-France* est si large que l'on a le sentiment d'une scène vue par *fish-eye* photographique. La présence monumentale de l'arbre au centre de la vision ainsi que la fuite accélérée du chemin sur le côté accentuent la concavité de cette composition. Vuillard dissimule des animaux dans cette nature inextricable, océan de verts éteints que maculent quelques fleurs écloses, et où le fichu rouge, pointillé de blanc, d'une paysanne vaut signature du peintre. Ci-dessus, *La Maisonnette à L'Etang-la-Ville*, contemporaine des *Paysages*, où Vuillard montre sa nièce Annette, arrêtée dans sa course par un paysage rose qui se délite et la dévore.

décoratives que sont d'une part *La Meule* et *L'Allée* de 1907, et surtout dans le très bel ensemble pour la villa Bois-Lurette à Villers-sur-mer, peint en 1912. L'effet de lumière filtrée qu'il parvient à rendre dans *Sur la terrasse*, avec ces deux femmes en train de converser sous un store, est un des moments de grâce absolue de la peinture de Vuillard.

La comédie classique, avec une scène du *Malade imaginaire* (en haut) de Molière, vue, à la manière de Degas, depuis la salle. La comédie moderne, avec *Le Petit Café* (en bas), de Tristan Bernard.

Regards obliques sur la jeunesse

L'année suivante, à la demande de Gabriel Thomas, il est un des artistes choisis pour décorer le nouveau Théâtre des Champs-Elysées. C'est en fait la petite Comédie des Champs-Elysées qui lui est dévolue ; il y réalise un ensemble de peintures qui sont autant de regards obliques sur sa jeunesse de décorateur de théâtre, dans un style allusif et somptueux qui manifeste une évolution plus conservatrice de son goût artistique. L'ensemble des panneaux, *Le Malade imaginaire*, *Le Petit Café*, *Faust*, *Pelléas et Mélisande*, *Acteurs et actrices se grimant*, ainsi que quelques natures mortes (*Guignol*, *Fleurs*), peut être rapproché des compositions contemporaines de Maurice Denis (*L'Age d'or*) ou de Bonnard (*Panneaux décoratifs pour Misia*), dans le sens d'un certain retour au classicisme. Avec humour, il sait montrer les effets de lumière de la rampe sur les acteurs ; avec nostalgie, il peint Lugné-Poe vieilli qui se grime et se plaît à évoquer les nuances crépusculaires du décor de *Pelléas*.

En 1921-1922, Vuillard réalise la série *Au Louvre*, sur une commande du Bâlois Camille Bauer. Le sujet lui est particulièrement cher, quand on pense à la régularité de ses visites dans le musée depuis sa jeunesse. A considérer l'état de la France exsangue

Vuillard rend hommage au *Pelléas et Mélisande* de Debussy, monté à l'Opéra Comique en 1902 et, depuis, repris avec les mêmes décors de Jusseaume. Il représente ici la très belle scène de la Fontaine des aveugles, au cours de laquelle Mélisande perd sa bague au fond de l'eau.

après la guerre de 1914-1918, le choix de ce sujet par Vuillard prend une connotation assez nettement nationaliste, à une époque où il se veut défenseur convaincu de la tradition française. Le choix des lieux représentés correspond d'ailleurs aux œuvres qu'affectionnait particulièrement le peintre : la salle La Caze pour la peinture du XVIIIe siècle, la salle des Cariatides pour la sculpture romane. Outre les hommages obligés qui émaillent ces compositions, la série lui permet de mettre en œuvre la problématique du tableau dans le tableau, qui va devenir une des marques de reconnaissance de son style tardif.

Vuillard avait peut-être en mémoire les chefs-d'œuvre de Degas *Mary Cassatt au Louvre* et *La Visite au musée* (1885). Parmi les visiteurs qui ne font que passer dans *La Salle La Caze*, (à droite ; ci-dessus, l'esquisse), on reconnaît Annette Roussel, à droite. Au mur, des tableaux de Largillière, Chardin, Watteau, Fragonard, ce XVIIIe siècle français auquel Vuillard voue un attachement continu.

La tentation classique

La conversion classicisante de Vuillard s'inscrit dans une sorte de «retour à l'ordre» dont les nabis auraient donné les signes avant-coureurs au cours des années 1900 à 1914. On associe généralement ce mouvement à la réaction dans les arts qui suit la fin de la guerre de 1914-1918; or chez Maurice Denis, Bonnard, Roussel, après la phase expérimentale nabie, se fait jour la quête d'un idéal classique ou plus exactement ce que Denis appellera «la recherche d'un ordre classique».

Vuillard, qui participe toujours à leurs discussions, y est sans aucun doute profondément sensible. Mais jamais il ne paraît vouloir céder aux suggestions de l'Arcadie, dans lesquelles baigne la peinture de ses trois camarades pendant cette période. On ne trouvera pas chez lui d'assemblée de muses, de personnages antiques au bord de la plage, de grâces au paon, aucun faune poursuivant des bergères, aucun sujet qui paraisse issu de l'Antiquité. En un mot, son iconographie demeure à peu près celle à laquelle il est fidèle depuis l'origine, même si sa manière accuse une dérive considérable.

Tableau hors du temps d'un flâneur inspiré, qui se montre pourtant attentif aux évolutions récentes de la mode vestimentaire.

Au cours des dix premières années du XXe siècle, Vuillard donne le sentiment d'être rattrapé et bientôt dépassé par les avant-gardes artistiques. Il est vrai que l'œuvre accomplie au cours de la décennie précédente suffirait à remplir la vie entière d'un artiste. Vuillard a désormais plus de trente ans, et il apparaît déjà comme un homme vieilli au milieu du bouillonnement de la vie artistique française d'avant 1914.

CHAPITRE V
LE TRAVAIL DU TEMPS

Vuillard avec son Kodak, une photographie de Bonnard prise dans sa propriété du Grand-Lemps au printemps 1900. Dès cette époque, le peintre appuie ses compositions sur le témoignage de la photographie. Ci-contre, détail du *Déjeuner à «la Terrasse», Vasouy* (1901).

Les ex-nabis, qui demeurent les camarades proches de Vuillard, donnent tout autant le sentiment de se retrouver coincés dans une époque où ils ne jouent plus de rôle moteur. Pierre Bonnard a exprimé avec une grande simplicité cette condition inconfortable qui lui semble être la sienne au cours de cette période de transition : «La marche des progrès s'est précipitée, la société était prête à accueillir le cubisme et le surréalisme, avant que nous ayons atteint ce que nous avions envisagé comme but. Nous nous sommes retrouvés en quelque sorte suspendus dans l'air.»

Dans *Le Déjeuner à «la Terrasse», Vasouy* (1901), Vuillard commence à se montrer sensible à la facture plus libre de Monet et de Renoir. Ce déjeuner au jardin (où l'on reconnaît, de gauche à droite, Bonnard, Romain Coolus, Lucy Hessel, Tristan Bernard et Gaston Bernheim) n'est que la partie droite d'un grand panneau, exécuté pour Paul Schopfer (romancier dont le pseudonyme est Claude Anet) et coupé en deux en 1935.

Le goût de l'inachevé

Il est vrai qu'à présent le concept auquel tous tenaient beaucoup du support étendu à l'espace du tableau, de la toile assimilée au fond sur lequel «la véritable peinture» se manifestait, ce concept était depuis longtemps accepté et dépassé. Comment donc se survivre à soi-même, comment être fidèle à ce que l'on a été, sans se répéter ? Maurice Denis, pour sa part, semble vouloir conjurer le doute, et il siffle en quelque sorte une fin de partie au long d'un célèbre article, «De Gauguin et de Van Gogh au classicisme (1909)», dans lequel il s'emploie à condamner certaines «erreurs» de jeunesse : «Sous prétexte de synthèse, nous nous sommes souvent contentés, avouons-le, de généralisations hâtives. En devenant schématique, notre art est devenu fragmentaire, incomplet. Nous avons fait beaucoup d'esquisses et très peu de

Avec l'*Hommage à Cézanne,* Maurice Denis (1900) dresse une sorte de bilan avant inventaire du groupe nabi, qui forme un cercle d'admiration autour d'une nature morte de Cézanne, mais également autour d'Odilon Redon : de droite à gauche, Marthe Denis, Bonnard, Roussel, Ranson, Sérusier, Denis, Ambroise Vollard, Mellerio et, absorbé dans la contemplation d'Odilon Redon, Edouard Vuillard.

tableaux. Nous ne savons pas finir, soit ; mais même chez les anciens nous préférons l'ébauche à l'œuvre faite. Qui mettra un terme à cette perpétuelle surenchère où nous incite l'attrait du nouveau et le goût de l'inachevé ? »

Tandis que Vallotton et Sérusier s'enfoncent progressivement dans des positions nettement réactionnaires, Vuillard paraît vouloir prendre encore plus de distance par rapport au monde contemporain et conserver cette sorte de liberté funambulesque qui demeure décidément la marque de son passage dans le monde artistique. Après 1945, la plupart des critiques de l'art contemporain seront extrêmement sévères pour la période dite «tardive» de Vuillard. Le temps n'était plus à la délectation des craquements de parquets cirés, au recensement méthodique des intérieurs calfeutrés, à l'ennui flegmatique des princesses posant avec discipline devant «leur cher Vuillard». Et pourtant, ce sont justement ces années que les biographes contemporains du maître appellent la «grande période».

L'*Homme et la Femme* de Bonnard (1900) est un hymne cafardeux à l'amour sensuel, région dans laquelle Vuillard ne s'aventurera jamais.

Le nouveau cercle

Les relations de Vuillard avec la galerie Bernheim-Jeune jouèrent certainement un grand rôle dans l'orientation progressive de son art vers l'impressionnisme. Cette galerie était en effet un des hauts lieux de la défense de ce courant, en particulier sous l'égide de Félix Fénéon. C'est Vallotton qui y attira Bonnard et Vuillard. Mais on peut aussi imputer une altération progressive de la manière de Vuillard au changement de milieu social qu'il connaît à partir de 1900, exactement au moment où il se détache insensiblement des milieux décadents et anarchistes de *La Revue Blanche*, qui cesse de paraître en 1903.

Sa première exposition personnelle a lieu à la galerie Bernheim-Jeune en 1900. Il rencontre alors Jos Hessel, directeur de la galerie, et sa femme Lucy, qui va progressivement remplacer Misia dans son cœur, surtout après que cette dernière se fut séparée de Thadée Natanson pour épouser le milliardaire Alfred Edwards en 1905.

Misia avait été l'icône de fixation de son style nabi, Lucy Hessel sera la figure d'élection d'un art qui retourne peu à peu à la réalité des objets et à la vraisemblance atmosphérique. Elle devient insensiblement sa seconde figure maternelle et protectrice; le peintre se retrouve bientôt pris en

La galerie Bernheim connaîtra son heure de gloire au moment de son installation boulevard de la Madeleine (de 1906 à 1924), sous la direction de Jos Hessel et Gaston Bernheim, ici peints par Vuillard en 1912 (à droite). Lucy (ci-dessus), l'épouse de Jos, demeurera l'amie et la confidente du peintre pendant près de quarante ans, non sans que des scènes violentes les opposent parfois.

charge par le couple Hessel qui l'invite aussi bien dans leur grand appartement de la rue de Rivoli que dans leurs propriétés à Versailles ou en Normandie. La vie quotidienne de Vuillard en est très sensiblement altérée.

Le cercle des Hessel permet également à Vuillard de rencontrer les célébrités du théâtre qui n'ont plus rien de commun avec les Lugné-Poe et les Berthe Bady qui avaient peuplé sa jeunesse : il s'agit de Georges Feydeau, de l'auteur dramatique Henry Bernstein, ou encore de Tristan Bernard, qui vont bientôt devenir ses commanditaires et l'incitent, malgré lui, à devenir une des figures du Tout-Paris.

L'amour de Vuillard pour le théâtre n'a jamais cessé. La série de *L'Illusionniste* de Sacha Guitry met en scène une cantatrice, un cycliste, une devineresse et, bien entendu, un illusionniste. Dans ce panneau, Sacha Guitry, le nain Gardey et sa partenaire regardent la pièce depuis les coulisses.

De cette période date le magnifique ensemble de panneaux pour *L'Illusionniste* de Sacha Guitry (1922). Rapidement brossés à la colle avec une virtuosité inouïe, ces panneaux montrent la scène du Théâtre Edouard-VII vue des coulisses, avec ses protagonistes : Sacha Guitry lui-même, Yvonne Printemps, épouse de l'auteur, et le nain Gardey. Ce faisant, non seulement Vuillard regarde avec émotion du côté des compositions de Degas et de Toulouse-Lautrec, qui avaient pris l'habitude de montrer la scène à partir des coulisses, en biais, mais encore il adresse un dernier hommage au monde du théâtre qu'il a tant aimé au cours des années 1890, l'ayant épié de la même manière.

Les années 1910-1920 sont pour Vuillard celles d'une nouvelle organisation de l'espace pictural : même s'il reste très attaché à la poétique des intérieurs, à présent l'air y circule, la lumière entre de tous côtés et parcourt la surface des objets. Il ne dédaigne plus de recourir à des effets de profondeur, comme le montre par exemple le *Portrait de Madame Trarieux et de ses filles*, somptueuse incursion dans un domaine qui est plutôt celui de Matisse, avec un effet de raccourcissement de focale qui précipite les fauteuils du premier plan presque à l'extérieur du cadre, tout en enfonçant les figures des petites filles à l'intérieur du tapis et des chaises qui les soutiennent.

Vuillard avait déjà expérimenté ce type de raccourci optique dans une œuvre aussi saisissante que *L'Enfant sur un tapis* (1901), où le petit être paraît emporté comme une barque sur l'océan, flottant au-dessus de la déferlante formée par le tapis qui tend à déborder du tableau. De même, dans le très beau *Salon blanc* (1904), Lucy Hessel paraît s'isoler

Jean Trarieux, directeur de presse, était proche de Vuillard par ses opinions dreyfusardes et libérales. Le portrait de *Madame Trarieux et ses filles* (1912) joue sur l'opposition entre les deux zones pacifiées de couleurs entières et le désordre laissé par les deux petites filles sur le tapis qui ponctue savamment l'espace.

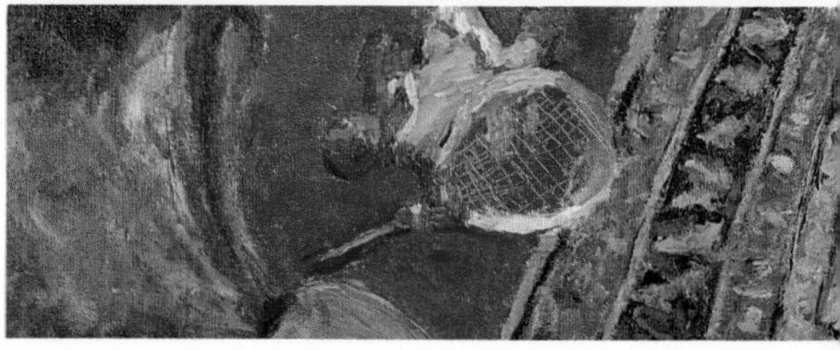

dans le fond de la pièce tandis que les meubles s'avancent, menaçants, vers le centre de la vision.

La chambre claire

L'expérimentation de la photographie est certainement pour beaucoup dans la structuration

nouvelle de la peinture de Vuillard. Les témoignages abondent pour nous dire qu'il sortait son Kodak portatif pendant les visites de ses amis afin de les saisir dans des postures non apprêtées. De son propre aveu, «la peinture aura toujours sur la photographie l'avantage d'être faite à la main», ce qui semblerait exclure toute volonté de faire de

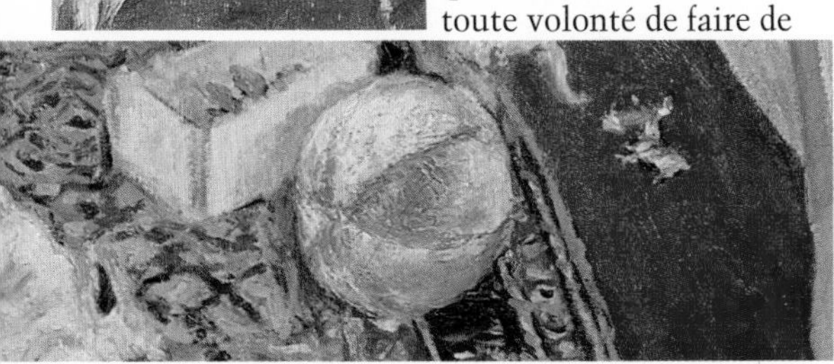

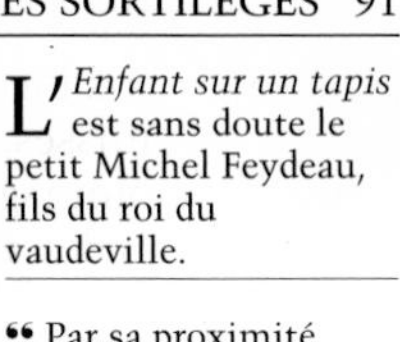

L'*Enfant sur un tapis* est sans doute le petit Michel Feydeau, fils du roi du vaudeville.

“ Par sa proximité avec le peuple des objets, l'enfant dessine le premier cercle de l'intimisme de Vuillard. On peut s'interroger sur les raisons qui poussent Vuillard à peindre si souvent l'enfant. Est-ce simplement parce qu'il est là, partie intégrante du décor au même titre que les meubles, les cheminées et les guéridons des appartements haussmanniens ; parce qu'il est un modèle facilement disponible comme le sont ses proches, sa mère, sa sœur Marie, son beau-frère Roussel et ses amis les Natanson, Mme Hessel, Romain Coolus, etc. Ne serait-ce pas plutôt que l'attrait de l'enfance est de ressusciter une partie de nous-même et que la recomposition de son image participe de cette «recherche du temps perdu» qui permet de pénétrer tous les états de l'âme humaine ?» [...] En dissimulant dans le tapis l'image de l'enfant, en adaptant un «point de vue» singulier, en imposant un lent déchiffrement, le peintre use de tous les artifices pour que ce qu'il montre en même temps se dérobe.”

Michel Makarius

Dans *La Partie de dames à Amfreville* (1906), Vuillard saisit Tristan Bernard et le romancier André Picard jouant aux dames, et Jos Hessel les observant. A gauche, l'actrice Marthe Melot. La scène se situe chez les Hessel, au Château Rouge, en Normandie ; elle est vue en plongée à partir d'une des fenêtres de la maison, et s'appuie sur une photographie prise par Vuillard lui-même. Ce document stimule donc la mémoire du peintre pour recomposer la scène dans l'atelier, à l'abri de la présence des personnages et des lieux.

la photographie un art à part entière. Tout au plus la photo serait-elle pour lui un aide-mémoire, une sorte de référence, un complément au travail qu'il effectue par les croquis sur le carnet.

Un grand nombre de peintures de la période de maturité de Vuillard procèdent d'une première approche photographique. Ainsi en est-il de *La Partie de dames à Amfreville* (1906), qui reprend les données d'une photographie contemporaine utilisant le point de vue en plongée. *La Meule* (1907) est comme la superposition de deux photographies, l'une où Marcelle Aron et Lucy Hessel sont assises devant une meule, l'autre où Tristan Bernard est vu sur une plage de Normandie ; la figure de Tristan Bernard est comme détourée et installée dans la scène première entre les deux femmes.

D'autres tableaux mettent en œuvre les dédoublements occasionnés par des jeux de miroir au centre du champ de perception. Ainsi en est-il d'une œuvre peu connue qui montre Lucien Guitry dans sa loge, le jeu infini des réflexions avivant l'énigme posée par la composition. Tout aussi subtil est le *Portrait de Madame Val* (1920), où la protagoniste paraît absorbée dans la contemplation de son image dans le miroir ; mais Vuillard ne nous permet de voir que le reflet de la Vénus de Milo trônant sur la cheminée, qui se dédouble dans la surface réfléchissante placée immédiatement derrière elle.

De ces années datent également des œuvres totalement atypiques dans la production vuillardienne. Au cours de la guerre 1914-1918, Vuillard peint un très étrange *Interrogatoire du prisonnier*, ou encore, pour Thadée Natanson, alors provisoirement à la tête d'une usine de munitions,

“Mme Val-Synave arrive chez Vuillard. Elle vient pour son portrait. Tout en se regardant dans la glace qui est au-dessus de la cheminée, elle demande à Vuillard quelle pose elle doit prendre. Vuillard lui répond : « Vous êtes bien ainsi. » Et, aussitôt, il [en] fait [le] croquis [...]. Il a conçu son tableau, il n'aura plus qu'à le peindre.”

Jacques Salomon

Moderne vanité, méditation sur le temps qui passe, dialogue silencieux de l'amour sacré et l'amour profane : tel est le *Portrait de Madame Val-Synave.*

un ensemble décoratif montrant l'atmosphère lourde provoquée par l'activité des machines.

La poétique proustienne

On a souvent dit que la réintroduction de la perspective par Vuillard au cours de cette période, l'attention à l'atmosphère des lieux, la circulation à l'intérieur des espaces, de même que la description d'un univers plus mondain étaient autant de stigmates d'une invention créatrice vaincue par la poétique proustienne. La vérité est sans doute beaucoup moins simple. Les liens biographiques entre Proust et Vuillard sont pratiquement inexistants, si l'on excepte leur relation commune que sont les princes Bibesco. Leurs sensibilités n'en paraissent toutefois que plus affines.

Un passage du Journal de jeunesse de Vuillard, où le peintre laisse son regard librement circuler entre les murs de sa chambre, semblait déjà vouloir préfigurer les techniques de construction de la *Recherche* proustienne : «Somme toute pas un de ces objets inanimés n'avait un rapport ornemental simple avec un autre, l'ensemble était disparate au dernier point. Pourtant cela était dans une atmosphère vive et une impression particulière s'en dégageait qui ne m'était pas désagréable. L'arrivée de maman là-dedans était surprenante, une personne vivante. En tant que peintre, les différences de taches, de formes suffisent pour intéresser» (26 octobre 1894).

Impossible, en lisant ces lignes, de ne pas penser tout d'abord à un des premiers moments du récit de la *Recherche*, où le narrateur s'emploie à rattraper la conscience de soi qui lui échappe au réveil : «Et quand je m'éveillais au milieu de la nuit, comme j'ignorais où je me trouvais, je ne savais même pas au premier instant qui j'étais.» Cette pénible, et parfois douloureuse, reconnaissance du monde semble bien être une des caractéristiques majeures de l'art

En août 1914, Vuillard est mobilisé comme garde-voies à Conflans-Sainte-Honorine. Démobilisé quatre mois après, il sera nommé en 1917 peintre aux armées dans les Vosges, à Gérardmer. C'est là qu'il peint ce très étrange *Interrogatoire du prisonnier*, sur lequel on voit un soldat allemand frappé d'hébétude à côté d'un poêle, interrogé par un officier français à peine esquissé dans un premier plan, à la périphérie de la vision ; composition austère, violente, presque désespérée.

d'Edouard Vuillard, qui fait de son appartement une sorte de citadelle assiégée, seul point focal fixe dans l'univers vacillant qui l'environne.

Vue de dos, régnant sur le savant désordre de son salon, Reine Natanson, seconde femme de Thadée. Le contrejour de la lampe autorise une élégante alliance d'orange abricot, de rouge grenat et de vermillon.

Le souvenir suspendu

Aussi tout objet, une fois arraché au repos de son indétermination spatiale et temporelle, se voit filtré par cette sensibilité sélective, et décanté par la distance du souvenir. A contempler les vases de fleurs, les coins d'atelier, les manteaux de cheminée qui peuplent l'œuvre «tardif» du peintre, on se prend encore à penser à Proust : «Elstir ne pouvait regarder une fleur qu'en la transplantant d'abord dans ce jardin intérieur où nous sommes forcés de rester toujours.»

Que l'on songe au *Bougeoir* (vers 1900), ou bien à *La Cheminée* (1905), où Vuillard porte un regard amusé sur la hiérarchie des choses. L'éparpillement des objets ainsi détournés, de même que le fractionnement des êtres et des lieux finissent par trahir leur secrète unité, justement reconquise par l'effort d'un regard interminable. Ici encore, les affinités avec la conscience proustienne sont éclatantes : «Résistante douceur de cette atmosphère interposée qui a l'étendue de notre vie, et qui est toute la poésie de la mémoire.»

Annette à la plage traduit idéalement cette poétique panoramique de Proust : la suspension de toute pesanteur y est absolue, le flottement de la perspective, total. Et le personnage perdu dans cette nature qui recouvre son unité paraît le dissoudre, non sous l'effet d'un jeu purement chromatique, mais par une sorte d'irradiation du souvenir qui va comme au devant d'un passage d'*A l'ombre des jeunes filles en fleurs* : «Je passais mon temps à courir d'une fenêtre à l'autre pour rapprocher, pour rentoiler les fragments intermittents et opposites de mon beau matin écarlate et versatile et en avoir une vue totale et un tableau continu.» Le champ indéfiniment extensible du tableau vient à la rencontre d'une mémoire régénérée et expansive.

Conscient, comme l'écrivain, de l'impossibilité pour les humains d'être présents les uns aux autres (et nombre de ses portraits tardifs de famille le montrent avec insistance), Vuillard s'invente ainsi un temps réversible, seul vecteur efficace d'une pérégrination libre au sein du réel. Pérégrination

Le Bougeoir (vers 1900) contient encore un peu de cette «sélection du hasard», de ces cadrages en coup de vent propres à la période nabie. *La Cheminée* (1905) montre au contraire une composition plus méditée et silencieuse, dans laquelle intervient le travail du temps conçu comme durée. Peint à Amfreville, chez les Hessel, ce tableau prouve que Vuillard succombe maintenant à son goût des compositions en profondeur, aux raccourcis de focale photographique, au rendu plus réaliste des objets anonymes, rassemblés fortuitement sur le manteau de la cheminée.

Annette sur la plage de Villerville (1911). Il s'agit d'Annette Roussel, fille de Ker-Xavier et de Marie Vuillard (donc la nièce du peintre), déjà présente à deux ans dans *La Soupe d'Annette* (1900), ici vue sur une plage normande à l'âge de treize ans, et que Vuillard représentera, jeune fille en 1916, dans la chambre de Mme Vuillard, rue de Calais. Fidèle aux parents et amis qu'il aime, Vuillard excelle à restituer les marques insensibles du passage du temps, à faire ressentir les articulations subtiles qui relient ce qui change – les traits de la physionomie, le comportement, les modes vestimentaires – à ce qui demeure inaltérable. Comme peu d'artistes, Vuillard sait restituer cette impalpable «musique des sphères» qui rend possible le dialogue inaudible des âmes. Peut-on aimer un être qui change ? Cette question, centrale pour tous les créateurs en qui fonctionne une machine célibataire (que l'on songe à Balzac et à Marcel Proust, mais aussi à Marcel Duchamp), Vuillard la résoud en enregistrant ce qui défile autour de lui, avec un mélange de distance et d'amour.

inverse toutefois de celle de la durée vécue, qui donne le sentiment qu'une partie de son œuvre procède d'une savante anamnèse picturale, seule garante de la continuité de sa démarche créatrice.

C'est dire à quel point l'œuvre entier du peintre nabi demeure sous le double signe d'une séduction épidermique et tactile, et d'un vertige hermétique. Un peu comme si, jusqu'au bout, il souscrivait à l'affirmation mallarméenne selon laquelle «Toute pensée émet un coup de dés».

E. Vuillard
1912

« Peintre de la vie moderne, Vuillard n'est pas un peintre anecdotier. Son œuvre est une chronique de la vie parisienne ; c'est le miroir d'une civilisation ; [...] c'est une défense et illustration du réalisme français qui scelle la paix entre l'homme et le monde, entre l'homme et les autres hommes. »

Waldemar George, 1938

CHAPITRE VI
IN PARADISUM

Théodore Duret a offert à Vuillard l'occasion de peindre un des premiers portraits de style tardif : concentration intellectuelle du modèle, fouillis de papiers qui résument son histoire, perspective légèrement basculante.

Ici, le défenseur des impressionnistes, l'ami de Manet, est représenté à l'âge de soixante-quatorze ans. Dans le reflet du miroir, on reconnaît son portrait par Whistler. A droite, détail du *Portrait de Jeanne Lanvin*

Le long crépuscule de la carrière de Vuillard n'est pas une lente agonie. De même qu'il avait été sourd aux sirènes de l'abstraction ou du cubisme au cours des années 1910-1920, Vuillard poursuivra imperturbablement son chemin, jusqu'à sa mort en 1940, relativement indifférent au triomphe des formes classiques qui s'amorce pendant les années 1930. Son style est à présent beaucoup plus abouti, beaucoup plus fini, ses détracteurs diraient beaucoup plus léché. A rebours de ses affirmations de jeunesse, il recherche systématiquement le ton local, il modèle les formes par petites touches. Là où le peintre nabi synthétisait les spectacles qui s'offraient à ses yeux, il inventorie désormais le réel, enregistre le moindre son d'une horloge, le moindre froissement des sous-bois comme dans la frise Kapferer, reproduit le moindre tableau accroché aux murs des collectionneurs dont il réalise l'effigie.

Un des portraits les plus architecturés de cette période est celui de Jeanne Lanvin, la créatrice de mode de l'entre-deux guerres. La pièce est quadrillée d'horizontales et de verticales qui transmettent le goût de l'ordre et de la précision propre au modèle, dont le visage exprime l'intelligence et l'humanisme racé.

Ce recensement du presque rien prend dans certaines œuvres une tournure obsessionnelle et pousse, cas extrême, la comtesse de Noailles à cacher son pot de vaseline lorsque le peintre entreprend son portrait, car «M. Vuillard peint tout ce qu'il voit».

Fidèle, malgré tout, à sa philosophie de la création, il rejoint toujours l'adage bergsonnien selon lequel «percevoir finit par n'être plus qu'une occasion de se souvenir».

Place Vintimille

Malgré des voyages qui le portent tantôt à Londres, tantôt en Hollande, Vuillard se prend toujours à hanter les mêmes lieux. En 1926, il est exproprié de son immeuble de la rue de Calais. Il déménage alors avec sa mère à une cinquantaine de mètres, place Vintimille, dans ce qui sera sa dernière demeure : «Pendant des semaines, Vuillard va suivre avec émotion la démolition de la rue de Calais. Jour par jour, il surveillera les travaux et lorsque la pioche entamera son étage, exposant à la vue les pièces où il vécut pendant vingt ans, qu'il verra disparaître les portes, les boiseries, les cheminées dans le tas de gravats, il sera ému jusqu'aux larmes,» se souviendra Jacques Salomon. Lorsque sa mère meurt en 1928, il est littéralement recueilli par le couple Hessel; il

Vuillard s'installe en 1907 au coin de la place Vintimille, 26 rue de Calais. Dès lors, les représentations de ce microcosme parisien, Tuileries en réduction circulaire, vont se multiplier. Il s'agit ici (au centre) d'une esquisse très libre de 1908, avec ses éclaboussures de peinture à la colle, qui devait préparer un diptyque destiné à Henry Bernstein (1909) et un paravent en cinq panneaux pour Marguerite Chapin. Cette petite place, au jardin dominé par une statue de Berlioz, offrit à Vuillard et à sa mère (ci-dessus sur une photographie de Jacques Salomon en 1927) un retrait discret du monde avec, malgré tout, une fenêtre ouverte sur les bruits de la ville.

partagera alors son temps entre son appartement de la place Vintimille et le château des Clayes que ses protecteurs ont acheté en 1924. Plus que jamais Lucy Hessel le couve de son aile maternelle : «Comment citer toutes les toiles où l'égérie figure, debout, accoudée, attablée, étendue, lisant à la fenêtre ou sous la lampe, interrogeant un miroir ou penchée sur un feu de bois, promenant son grand chien ou disposant des fleurs, en tenue de vacances ou décolletée, tête nue, chapeautée, brune, grise, blanche ?» (Claude Roger-Marx). A cause d'elle, le peintre, qui serait plutôt tenté par la vie monacale et par une retraite hors du monde, accepte le poudroiement facile de la vie bourgeoise à laquelle elle l'introduit. Il accepte aussi, avec amusement, la culture très particulière des joueurs de poker, des parieurs aux courses, des banquiers et des assureurs qui forment la clientèle des Hessel.

Le médecin se penche sur Alexandre, le frère aîné de Vuillard, au lit dans l'appartement du peintre. Le caractère un peu raide des gestes et le surplomb précipité de l'angle de vue donnent un aspect caricatural à cette *Consultation* (1922), qui évoque des atmosphères de l'époque nabie.

Trait pour trait

Entre 1920 et 1940, Vuillard est le portraitiste le plus célèbre de Paris, qu'une clientèle bourgeoise et aristocratique s'arrache. Ses portraits de jeunesse étaient plutôt des charges, dictées par la manière synthétique du style nabi. A présent, l'art de Vuillard gagne en subtilité ce qu'il a perdu en violence ; il s'assigne pour rôle de

L'alliance de surfaces plates bleu pâle, rouge brique et jaune, géométriquement assemblées, est d'une agressivité audacieuse. La *Chambre du château des Clayes* (1933), où les suspensions à incandescence ont fait place aux lampes électriques, va devenir une des dernières tours d'observation à partir desquelles le peintre recompose le monde – en témoignent les œuvres en cours accrochées aux murs.

Telle une courtisane orientale posée sur une ottomane, *Mme Hessel étendue sur le divan* (vers 1920). Tout le luxe et l'indolence de la vie chez les Hessel sont rassemblés dans cette atmosphère de boudoir du XVIIIe siècle.

dégager les correspondances psychologiques qui lient le personnage représenté à son environnement. Comme le faisait remarquer Romain Coolus, «l'artiste lance sur l'individu présenté un rayon particulier; mais cet individu n'est pour lui qu'un objet dans l'ensemble de ceux qui composent l'intimité à laquelle il appartient. Il se réfracte dans tout ce qui l'entoure; ses goûts et ses préférences sont inscrits dans les meubles qui lui sont familiers et dans tous les détails du décor où se déroule son existence».

La vieillesse de Vuillard laisse donc une très grande place à l'approfondissement psychologique, à l'introspection morale plus qu'au jeu des intrications texturelles auxquelles il se livrait autrefois. Il entend à présent se relier à la grande tradition du portrait de Van Dyck, Gainsborough et Whistler.

La particularité de son regard sur les individus réside peut-être dans le fait qu'il les traite comme des natures mortes, jusqu'à aboutir à des types psychologiques : l'assureur, l'industriel, le dramaturge, le médecin, l'actrice. Comme l'a dit lui-même le peintre, «on commence un portrait sans connaître le modèle, quand on l'a fini, on connaît le modèle, mais le portrait n'est plus ressemblant». Sa virtuosité lui permet d'exécuter nombre de portraits avec une grande rapidité ; d'autres exigent des mois de travail, voire des années, tel le célèbre portrait de la comtesse de Polignac. A l'instar de Pierre Bonnard, qui retouche et enrichit sans cesse ses intérieurs et panoramas du Cannet, Vuillard aime à revenir sur certaines effigies, quitte à apporter des modifications qui sont la marque du passage du temps.

«Le portrait de Berthelot, a écrit spirituellement Albert Flament, est celui d'un encrier ; dans le portrait de Simone Berriau, ce qui compte c'est le piano, la tapisserie ; Renouart ? Une loge, une robe. Printemps ? Un fauteuil.» La manière dont l'industriel Rosengart tient son stylo, le rapport qu'il entretient avec l'encrier, le cartonnier, les rideaux qui l'entourent en disent long sur son arrogance froide. Vuillard trahit en revanche une grande sympathie pour Yvonne Printemps (à gauche), qu'il a déjà peinte avec Sacha Guitry, son époux, à l'époque de *L'Illusionniste*, et qui deviendra l'épouse de l'acteur Pierre Fresnay.

Fille de Jeanne Lanvin, la comtesse Marie-Blanche de Polignac était une mélomane distinguée, amie de Ravel et de Poulenc. Dans ce portrait de 1932, Vuillard la représente dans une attitude détendue, assise sur son lit au milieu des objets qui lui sont chers et auxquels le peintre a porté sa légendaire attention. Le déséquilibre de la composition a fait dire à Jean Giraudoux que la comtesse était «vue par le petit côté de la lorgnette».

«Vous faites de la joaillerie»

«Je peins les gens chez eux», prétend-il de manière laconique. Il est vrai que, parmi ses sujets de prédilection, reviennent avec insistance des femmes saisies dans l'intimité de leur boudoir, dans des douceurs d'alcôve, dans le silence feutré de leur salon. Ainsi en est-il de *La Comtesse Jean de Polignac*, qu'il installe tout simplement sur le rebord d'un lit, dans sa maison de campagne, accompagnée d'un petit chien; la composition, décentrée, laisse entendre que le vrai sujet du tableau est peut-être la profondeur de champ qui permet d'entrevoir au fond du salon une cheminée surmontée d'un miroir qui réfléchit en abîme l'ensemble de l'espace parcouru par le regard.

Vuillard aime par ailleurs montrer l'effet de la lumière électrique sur les intérieurs fermés, comme le révèlent les très beaux portraits de *Madame Hessel étendue sur un divan rue de Naples* ou celui de *La Princesse Antoine Bibesco*, dans lequel il utilise des teintes plus fauves qu'à son habitude et sait se montrer l'égal d'un Boldini, à travers un balayage de touches qui laisse une grande place au jeu du hasard. Peu de portraits donnèrent autant de peine à Vuillard

La Princesse Bibesco (1935), installée chez elle, quai de Bourbon, devant un paravent japonais, surprise pendant qu'elle lit une lettre. A gauche, Vuillard à sa fenêtre, place Vintimille, vers la fin de sa vie.

“[Aux audaces des jeunes artistes], à leurs coups de force, il s'intéressait loyalement. Bonnard l'émerveilla toujours. Quant aux investigations de Picasso, quant à ses grandes forces de mécontentement ou de destruction qu'ont extériorisées le surréalisme et le cubisme, il était loin d'en contester l'importance. «N'ayant rien d'un révolutionnaire», comme il aimait à le dire lui-même, il ne niait pas le bienfait des révolutions. Sa bienveillance pour les débutants était grande.”

Claude Roger-Marx

que celui, fort célèbre, de la comtesse de Noailles ; il la représente malade à demi-couchée dans son grand lit Louis XVI, en train d'écrire, entourée d'une multitude d'objets dont il fait savamment l'inventaire. On sait que Bonnard ne put s'empêcher de s'exclamer devant ce tableau : «Dites donc, Vuillard, vous faites de la joaillerie !», tandis qu'une partie de la critique attaquait déjà la vulgarité des couleurs employées.

Ultima verba

Vuillard excelle également, dans sa période crépusculaire, à représenter des hommes d'affaires inspirés à leurs tables de travail ou au milieu d'une myriade de papiers, ou encore en amateurs éclairés, trônant au milieu de leurs collections d'objets d'art et de tableaux. S'il saisit le Dr Gosset en train d'opérer un patient dans sa clinique et le Dr Vaquez rendant visite à ses malades, il campe son vieil ami le Dr Viau triomphant derrière les instruments de torture de son cabinet dentaire. En revanche, le somptueux portrait de Jane Renouart lui donne l'occasion de déployer un luxe barbare à partir d'un jeu de réflexions à l'infini qui font se dilater la loge confinée de l'actrice.

Ce goût des matières crissantes, de la combinaison des pourpres et des reflets argentés ne l'empêche pas de revenir, par exception, à une inspiration beaucoup plus austère, comme le laisse entrevoir son célèbre *Autoportrait dans le cabinet de toilette* de 1926, où, infiniment mélancolique, voire pessimiste,

Le Dr Viau dans son cabinet dentaire (1937) est une des dernières effigies de médecin peinte par Vuillard. Il réussit une «harmonie en blanc et en gris» à la manière de Whistler ; la lumière tombe sur les objets avec une précision quasi chirurgicale. L'arrogance caricaturale du docteur au centre d'un fouillis menaçant d'objets n'a pas échappé à Vuillard, qui s'adonne à des combinaisons voluptueuses de matière : tapis, lambris, laque, toile, cuivre… (Pages 108-109, *La Partie de cartes* et *La Loge*.)

il se découvre vieilli dans le reflet du miroir et circonvenu par les références historiques de son art, qui forment un écrin bariolé à l'apparition de son effigie décharnée.

Les dix dernières années de la vie d'Edouard Vuillard voient la consécration de sa carrière de peintre. Malgré sa réticence naturelle au regard des honneurs officiels, il se rend en 1937 aux sollicitations de Maurice Denis et succède au fauteuil de Paul Chabas à l'Institut ; on le charge de la rédaction d'un rapport sur les envois des pensionnaires à l'Académie de France à Rome, tâche dont il s'acquitte avec scrupules. L'Etat lui confie alors ses premières commandes : *La Comédie*, décoration pour le Théâtre de Chaillot, et *La Paix protectrice des Muses*, pour le palais de la Société des nations à Genève (1938), qui lui permet d'évoquer à nouveau le souvenir de Puvis de Chavannes. La même année, une grande rétrospective de son œuvre est organisée au Louvre, au Pavillon de Marsan ; elle donne l'occasion au grand public de redécouvrir les œuvres de la période nabie, d'admirer les grandes décorations dans le hall central.

«Au cours de l'exposition, de mai à juillet, un demi-silence respectueux fut observé par la critique : en général, on se montrait plutôt réticent pour les quinze dernières années», relate Claude Roger-Marx. La

Une séance à l'Institut (1937), vu comme un spectacle, a été peint l'année de sa réception.

Le panneau pour le nouveau Théâtre de Chaillot, *La Comédie* (1937), donne l'occasion à Vuillard de peupler les sous-bois de la propriété des Clayes de personnages échappés au Théâtre de Shakespeare et de Molière (Bottom, Obéron, Titania, Scapin, Alceste et Célimène, des hamadryades...), avec des accents vert tendre qui n'appartiennent qu'à lui. On sait par Jacques Salomon qu'il n'apprécia que modérément la *Pastorale* voisine de Bonnard, d'inspiration et de facture résolument plus modernes.

consécration officielle va donc de pair avec une éclipse du côté de la critique d'avant-garde.

Ebranlé par l'écroulement de la France devant l'attaque allemande, en mai 1940, Vuillard est emmené loin de Paris par les Hessel, par crainte des bombardements. Il succombe à un œdème pulmonaire à La Baule, le 21 juin 1940.

Autour du miroir, le *Zacharie* de Michel-Ange, la *Flora* de Stabies, *Raymond Diocrès* de Le Sueur, un Rubens, une vue d'Edo d'Hiroshige. (Page 112, détail de *L'Enfant sur un tapis*)

TÉMOIGNAGES ET DOCUMENTS

Vuillard tel qu'en lui-même

Vuillard a tenu un journal intime de 1888 à 1894 puis de 1907 jusqu'à sa mort en 1940. Les premiers carnets sont un assemblage d'impressions fugitives, de partis pris esthétiques, de doutes et d'aspirations qu'il entremêle de croquis d'après des tableaux du Louvre ou de scènes de rue. Après 1907, il s'agit d'un journal au sens traditionnel du terme, qui recense les activités du peintre au jour le jour.

Les pages du journal d'Edouard Vuillard n'ont pas la qualité littéraire des articles de Maurice Denis. Elles sont griffonées dans une orthographe et une syntaxe chaotiques; certains mots sont soulignés. Malgré leur caractère télégraphique, elles répondent cependant aux mêmes impératifs.

Nous percevons la nature par les sens qui nous donnent des images de formes et de couleurs, de son, etc. une forme une couleur n'existe que par rapport à une autre. La forme seule n'existe pas. Nous ne concevons que des rapports. La peinture est la reproduction de la nature vue dans ses formes et ses couleurs par conséquent des rapports de formes et de couleurs. Pour cela je reporte mon œil qui vient de saisir un rapport de forme ou de couleur sur le papier ou sur la toile je dois retrouver le même rapport - J'arrive devant un corps quelconque si je fixe un point quelconque.

20 novembre 1888

La campagne le soir vous distrait absolument; grandes lignes, grandes masses; grand c'est-à-dire simple; dans la campagne un grand espace vous saisit pourquoi? c'est pourtant le même phénomène qui se passe dans une chambre devant un objet dont on sent la forme et la couleur : dans ce cas il faut une prédisposition : dans l'autre vous y êtes amené par l'immensité de l'étendue que vous avez à parcourir de l'œil; cette opération favorise la disposition à voir simplement une forme. Qu'est-ce que la simplicité? une chose facilement compréhensible? Or une chose immense pour être conçue perd ses détails vous prédispose à sentir les grands rapports. Et puis le manque d'habitude? qui vous fait observer les grands rapports avant les plus petits?

31 août 1890

Extrait du journal de Vuillard.

(On a du plaisir devant une forme, devant un ensemble de couleurs, parce qu'on les voit uniquement) alors le plaisir c'est l'état dans lequel on voit on est occupé par une sensation; le contraire l'état dans lequel on ne peut s'attacher à une idée à une sensation? Mais il y a des sensations plus fortes les unes que les autres? on est plus ou moins occupé. et le plaisir est-(ce) l'instant même; mais tout de suite après le souvenir est encore agréable (l'ensemble revécu que l'on confond avec le premier instant et qu'on recherche seul à tort sans résultat quand le premier n'a pas existé).

31 août 1890

26 nov. les lignes d'une figure modelée et les lignes de la même figure non encore modelée paraissent d'inégales grandeurs; l'habitude pris au commencement d'une éducation détestable (?) de donner un coup de pouce sur chaque trait de fusain et donner l'apparence d'un modelé d'une chose qui tourne est un grand empêchement à voir la forme la forme simplement la silhouette; un modelé est une dégradation en art pictural et l'artiste ne doit voir qu'une dégradation, non une chose qui tourne, l'express du dessin et et des gradations de couleur non la nature même de l'objet réel.

26 novembre 1890

Mars 91. Le travail ne doit pas dépendre d'une impression passagère; il n'est pas possible [biffé] on se borne à comprendre ceci : une émotion fera une œuvre, une autre en fera une autre; cad. à chaque œuvre il faudra une méthode, une composition particulière; il semble qu'il ne doit rien y avoir de commun entre deux ouvrages. Considérons les mots qui nous aident œuvre, ouvrage Autrefois la vie d'un homme se passait en ouvrages et le résultat formait une œuvre. Qu'est-ce donc que cette différence; l'ouvrage est la partie, l'œuvre, le tout. L'œuvre n'a qu'une seule méthode, l'ensemble de toutes les actions. Cette méthode dépend de l'esprit de l'harmonieux développement des facultés donc tous les ouvrages auront la même méthode.

Mars 1891

Les formes apparaissent à nos yeux. On les voit et elles apparaissent. Dans quelles conditions? une forme se distingue, c'est à dire existe séparée de ce qui l'environne; elle est plus clair ou plus sombre que ce qui est alentour; elle est plus lumineuse ou moins c'est le sentiment que le peintre exprime de ce plus ou de ce moins et selon le degré de conscience d'une part et de sincérité d'autre part, l'œuvre sera.

2 avril 1891

Le temps des Nabis

L'aventure nabie laisse une grande part à l'amitié qui jamais ne se démentira. Frustrés par la médiocrité des ateliers académiques, des jeunes artistes font preuve d'une exigence intellectuelle peu commune. Pour Maurice Denis, Pierre Bonnard, Paul Sérusier, Ker-Xavier Roussel et Edouard Vuillard se réaliser en tant que peintre, cela suppose aussi lire les philosophes, mettre en scène des pièces, réaliser des objets d'art.

L'origine des Nabis

La formation du groupe, racontée par Maurice Denis dans un article consacré au symbolisme…

Les plus audacieux parmi les jeunes artistes, qui fréquentaient aux environs de 1888 l'Académie Julian, ignoraient à peu près complètement le grand mouvement d'art qui sous le nom d'impressionnisme venait de révolutionner l'art de peindre. Ils en étaient à Roll, à Dagnan; ils admiraient Bastien Lepage; ils parlaient de Puvis avec une indifférence respectueuse, se méfiant, en conscience, qu'il ne sût pas dessiner. Grâce à Paul Sérusier, alors massier des petits ateliers du Faubourg Saint-Denis – fonctions qu'il remplissait avec une éclatante fantaisie – le milieu était, à coup sûr, beaucoup plus cultivé que dans la plupart des académies : on y parlait habituellement de Péladan et de Wagner, des concerts Lamoureux et de la littérature décadente, que d'ailleurs nous connaissions mal : un élève de Ledrain

De droite à gauche, Vallotton, Coolus, Vuillard et Ker-Xavier Roussel àVilleneuve-sur-Yonne, chez Misia et Thadée Natansonen 1899.

nous initiait aux littératures sémitiques, et Sérusier exposait les doctrines de Plotin et de l'école d'Alexandrie au jeune Maurice Denis qui préparait là l'examen de philosophie du Baccalauréat ès lettres.

C'est à la rentrée de 1888 que le nom de Gauguin nous fut révélé par Sérusier, retour de Pont-Aven, qui nous exhiba, non sans mystère, un couvercle de boîte à cigares sur quoi on distinguait un paysage informe, à force d'être synthétiquement formulé, en violet, vermillon, vert véronèse et autres couleurs pures, telles qu'elles sortent du tube, presque sans mélange de blanc. «Comment voyez-vous cet arbre, avait dit Gauguin devant un coin du Bois d'Amour : il est bien vert? Mettez donc du vert, le plus beau vert de votre palette; – et cette ombre, plutôt bleue? Ne craignez pas de la peindre aussi bleue que possible.»

Ainsi nous fut présenté, pour la première fois, sous une forme paradoxale, inoubliable, le fertile concept de la «surface plane recouverte de couleurs en un certain ordre assemblées». Ainsi nous connûmes que toute œuvre d'art était une transposition, une caricature, l'équivalent passionné d'une sensation reçue. Ce fut l'origine d'une évolution à laquelle participèrent immédiatement H.-G. Ibels, P. Bonnard, Ranson, M. Denis. Nous commencâmes de fréquenter des endroits très ignorés de notre patron Jules Lefebvre : l'entresol de la Maison Goupil sur le boulevard Montmartre, où Van Gogh, le frère du peintre, nous montra, en même temps que des Gauguin de la Martinique, des Vincent, des Monet et des Degas; – la boutique du père Tanguy, rue Clauzel, où nous découvrîmes, avec quel émoi, Paul Cézanne.

Maurice Denis, *Théories 1890-1910*, «Du symbolisme et de Gauguin vers un nouvel ordre classique», Paris 1920.

... et telle qu'elle est rapportée par Claude Roger-Marx :

Le groupe des Nabis, ainsi baptisé par le poète Cazalis, se constitue. Il comprendra Sérusier, Ranson, Denis, Vuillard, Roussel, Ibels, le sculpteur Lacombe, le musicien Pierre Hermant, Lugné-Poe, Seguin, Percheron, René Piot, Verkade, Vallotton, Maillol enfin. On ne peut reprocher à ces «enflammés de l'esprit», à ces «prophètes», qui prennent la vie au sérieux, de se prendre trop au sérieux eux-mêmes. Bien des gamineries se mêlent à leurs enthousiasmes. Rappelons les surnoms qu'ils se sont donnés : Sérusier, c'est le nabi à la barbe rutilante, Verkade le nabi obéliscal (à cause de sa taille), Bonnard le nabi japonard, Vuillard le zouave. Sérusier a représenté Roussel dans un costume sacerdotal inventé de toutes pièces. Au sortir du «dîner de l'os à moelle», passage Brady, au sortir du café Voltaire, de chez Henri Lerolle ou de chez Ranson, les conversations continuent : on court conspuer Meissonier sous ses fenêtres. Ces enfantillages du soir les reposent d'une tension d'esprit excessive. «Rarement (a dit Valéry à propos des Symbolistes) plus de ferveur, plus de hardiesse, plus de recherches théoriques, plus de savoir, plus de pieuse attention, plus de disputes ont été en si peu d'années consacrées au problème de la beauté pure.» Et ceci est aussi vrai des Nabis que de leurs amis poètes.

Claude Roger-Marx, *Vuillard et son temps*, Paris, 1945

Lugné-Poe

Le fondateur du théâtre de l'Œuvre se souvient, quarante ans plus tard, de ses rapports avec les Nabis.

Nous étions quatre, comme les sergents, 28, rue Pigalle : Maurice Denis, Edouard Vuillard, Pierre Bonnard et moi; c'est dans ce petit atelier, tout en haut d'une maison à l'encoignure de la rue Labruyère, que naquirent les néo-traditionnistes qu'Arsène Alexandre pour la première fois dénicha; Gustave Geffroy que je connaissais depuis mon enfance, lorsque mes parents habitaient rue Martel 14, et qui demeurait maintenant à Belleville près de moi, vint également nous voir quand je lui eus porté les premiers dessins de *Sagesse* de Denis, de Vuillard sur Félicien Mallet dans l'*Enfant prodigue*. C'est de là aussi que partit le manifeste, pour ainsi dire historique, des peintres néo-traditionnistes de Maurice Denis que je portai à *Art et Critique*. [...]

Sérusier, Percheron, Gauguin, Coquelin-Cadet, Ibels, Ranson, le Père Barc de Boutteville, Mauclair, bien d'autres – j'en oublie – s'assirent dans cet atelier qui était grand comme un mouchoir de poche et dont le vitrage s'éclairait sur la rue Pigalle. Chacun y travaillait de ses outils; hélas! les miens ne m'ont jamais rien laissé en mains! Mélancolie du blanc gras!... C'est là que naquirent les Nabis, ces chastes prophètes de la peinture qui se détachèrent comme une branche nouvelle du fier arbre : Signac, Seurat et Pissaro. [...]

Edouard Vuillard que j'avais eu le plaisir de connaître comme Bonnard, grâce à Denis, était très différent, délicat et détaché de ce fanatisme qu'on pouvait deviner sous les allures paisibles de Denis; on goûtait la paix souriante auprès de Vuillard. Rien de plus harmonieux que la vie, les gestes de Vuillard, allant à la bonté sans paraître la chercher, s'effaçant toujours avec la plus exquise pudeur derrière les mérites des autres, qui le respectaient. Il se maintint dans les ombres avant de projeter sa lumière si variée qui lui est venue en même temps que chacun de ses cheveux blancs. [...]

Un soir, en acceptant l'hospitalité d'un petit dîner chez Marie Aubry, qui avait joué Pelléas, on chercha un titre à ce théâtre; jusque-là nous n'en avions pas. Vuillard ouvrant un livre au hasard, indiqua «l'Œuvre».

Lugné-Poe,
La Parade. Le Sot du tremplin,
Gallimard,
Paris 1930

Bonnard et Vuillard

Cinquante ans d'une amitié indéfectible attestée par une abondante correspondance.

Le 13 avril 1891
Mon cher Vuillard,
Vous vous doutez du plaisir que m'a causé votre lettre... Je prépare ici du travail que je pourrai achever à Paris. Je ne sais pas comment je vais tirer quelque chose de mon Solfège. Il faut que je pense aux décorateurs de missels des temps passés ou bien aux Japonais mettant de l'art dans les dictionnaires encyclopédiques pour me donner du courage. Mille amitiés et merci pour vos bons soins.

P. Bonnard

J'ai fait une petite peinture excessivement sage, deviendrais-je classique ou ramollie?

Le 7 août 1892
Mon vieux Bonnard,
... Je vous écris d'une façon assez décousue. J'ai été chez Aurier, il n'y avait rien. Reçu la publication du Théâtre d'Art où votre dessin est joliment maltraité. Tout ça, c'est très laid, il faut mieux ne pas y penser...

Mon travail a été un peu abandonné, maintenant que je suis remis et tout seul à Paris, j'espère que cela marchera…

Bonnard répond :

Le 16 août 1892
… Je suis heureux de voir que si vous avez des moments de flemme vous avez aussi des moments d'inspiration et de travail. Je crois que cela viendra aussi pour moi. Je ne désespère pas de comprendre quelque chose à la peinture à l'huile…

Dans cette lettre, Bonnard fait allusion aux six panneaux commandés par Paul Desmarais :

Le 19 septembre 1892
Mon cher Vuillard,
Bien que je sois retiré du monde les nouvelles que vous m'en envoyez ne me sont pas indifférentes, j'irai même jusqu'à dire que je les reçois avec beaucoup de plaisir, ainsi ne vous gênez pas de crainte de m'embêter.

J'apprends avec plaisir que vos trumeaux sont presque terminés après vous avoir fait passer de bons moments, ce qui me rassure sur le résultat matériel car je vous crois incapable de travailler en vous «foutant dedans», ce qui m'arrive fréquemment.

Ce que j'ai de bon à vous annoncer de mon côté, c'est que je me sens justement moins susceptible de faire de ces grosses bourdes parce que je me suis consolidé dans mes idées sur beaucoup de points dont nous avons causé cet hiver, ce qui a pour conséquence de me rendre plus indépendant et je vois que j'en avais grand besoin.

La peinture à l'huile entre autres m'a beaucoup occupé, cela va bien doucement, bien timidement mais je crois être sur la bonne voie.

P. Bonnard

Le 21 novembre 1892
… Je suis bien content de vous savoir sorti du marasme ainsi que Roussel, votre dernière lettre m'avait inquiété… Je suis d'autant moins propre à vous conseiller que je suis moi-même dans un léger marasme auquel votre absence n'est peut-être pas étrangère. Je ne supporte pas tout seul à Paris la vie de l'artiste désintéressé. J'ai besoin de causer avec de vrais frères comme vous. J'ai un peu vu Rasetti ces temps-ci et c'est avec lui que j'ai eu le plus de plaisir à me trouver. C'est un pur…

Je crois qu'un des pastels de Roussel est vendu ou presque, c'est le paysage : il a beaucoup de succès. J'ai une vague idée que c'est Roger-Marx qui est l'amateur.

Malgré le petit panneau où on se serre les coudes, que cette boutique de Boutteville est donc navrante. Mais je ne veux pas vous navrer, peut-être que si j'avais vendu un tableau, je la trouverais moins navrante…

P. Bonnard

Bonnard, comme son ami, ressent cette alliance particulière de secret et de transparence qui domine la poésie de Mallarmé.

Le 17 septembre 1895
Mon cher Vuillard,
Je vous remercie de votre envoi crayon et papier lithographique mais je suis si flemmard que je ne m'en suis pas encore servi. J'ai vu deux dessins de vous dans la *Revue blanche*, un pour l'album de l'Œuvre qui ressemble à du Mallarmé pour son obscurité au premier abord et la pureté de facture de ce qui se distingue après. Je vous en parle même si vous n'avez pas attaché d'importance à votre dessin parce qu'il n'a pas été étranger à mon

envie de faire du noir et du blanc…
Tout à vous

P. Bonnard

Thadée Natanson

Le directeur de la Revue blanche *et époux de Misia fut aussi un des premiers collectionneurs de la peinture de Vuillard.*

Pour la première fois […], il est donné de parler d'une exposition complète de tableaux de M. Vuillard et de dire l'admiration profonde qu'on en peut avoir.

C'est surtout, mis à part le *Jardin*, la *Fenêtre effet de soir*, et cette extraordinaire jeune femme en robe bleue, les bras étendus, dont le souvenir troublant poursuit, l'aspect des intérieurs qui a fourni à l'inspiration de l'artiste l'occasion de se développer.

Chez lui, d'intentions, on n'en saurait que bien plus difficilement deviner, et si, sans doute, il lui a fallu pour oser se laisser ainsi librement entraîner par son tempérament et s'arrêter à d'aussi heureuses expressions de son émotion, des réflexions profondes, au moins n'est-ce ni la préoccupation de charmer ni le souci de conformer sévèrement ses œuvres à une théorie qui se fait jour, mais seulement, la profondeur de grâce aisée des compositions, l'attrait de particulière intensité des tonalités et des couleurs.

Peut-être ceux dont les émotions, éprouvées aux aspects d'intimités, sont plus vivement évoquées par les sujets où se complaît M. Vuillard, pourront en parler et le goûter déjà, mais il faudra bien, pour jouir pleinement de son œuvre, être sensible à la très grande joie que peut donner la couleur pure.

Est-ce la profondeur du charme dont on se sent

Projet pour un paravent vers 1892.

enveloppé, et l'admiration si entière professée pour l'intensité de ces colorations, dont l'entraînement ne permet pas de prendre aussi clairement conscience du sentiment qu'on éprouve? Mais aussi souvent et aussi fort qu'il plairait de dire l'attrait qui s'impose, aussi difficilement trouve-t-on les mots pour dire tout ce qu'on y trouve d'inexprimable joie.

Thadée Natanson,
« Expositions. – Un groupe de peintres.»
La Revue blanche, novembre 1893

La critique

En 1896, le critique Gustave Geffroy commente des tableaux de Vuillard et de Bonnard, pour la première fois confrontés à des impressionnistes à la galerie Durand-Ruel.

Il y a évidemment une ressemblance entre les deux artistes dans la façon de rendre une scène, et je vois de grandes différences : ainsi Vuillard est un coloriste plus franc, plus hardi à faire éclater les floraisons bleues, rouges, jaune d'or, et en même temps on le sent d'esprit mélancolique, de pensée grave. Bonnard, au contraire, est un peintre gris, se plaît aux nuancements du violacé, du roux, du sombre; et pourtant dans chacune de ses notations, la malice d'observation, la gaieté gamine se révèle d'une distinction charmante.

Le poète belge Emile Verhaeren ne dissimule pas son admiration pour la technique virtuose de Vuillard.

Dites les gris délicats d'où s'échappent les roses, les verts, les jaunes! Certaines étoffes et certains tapis réalisent seuls des harmonies aussi rares. Cela paraît d'une beauté exotique heureusement acclimatée. Le pinceau procède par petites touches. On dirait parfois un travail d'abeilles ou mieux encore d'hirondelles faisant leur nid. Toutes ces touches s'agglutinent, forment masse. Le procédé est curieux et inattendu; les résultats qu'il amène, chez M. Vuillard, sont décisifs.

Emile Verhaeren
Les Salons, Mercure de France, juin 1901

L'éclatement du groupe

Dans son journal de mars 1899, Maurice Denis tire les conclusions de la dérive des peintres les uns par rapport aux autres.

A notre exposition de chez Durand-Ruel, je remarque certains caractères qui différencient nos peintures.

Groupe Vuillard, Bonnard, Valloton : 1° Petits tableaux; 2° sombres; 3° d'après nature; 4° faits de souvenir, sans modèles; 5° petite importance des figures, et par conséquent du dessin; 6° doivent mieux faire dans un appartement petit et peu éclairé que dans un atelier ou une exposition; 7° matière compliquée – goût sémite; y joindre Valtat (en négligeant les caractères 2° et 5°).

Groupe Sérusier, moi, Ranson : 1° grands tableaux; 2° peints avec quelques couleurs pures plus ou moins foncées; 3° symboliques; 4° usage de quelques documents, mesures géométriques ou modèles; 5° grande importance de la figure humaine; 6° ont dû être exécutés dans des ateliers; 7° matière très simple et unie – goût latin. – Article de Geffroy qui fait l'éloge d'un autre caractère du premier groupe : 8° sujets modernes.

Maurice Denis,
Journal, tome I (1884-1904), Paris, 1957

La consécration

Il n'y a pas rupture dans la manière de Vuillard après 1900, mais plutôt confirmation et accomplissement de certaines tendances. Il entre à la galerie Bernheim-Jeune, devient un portraitiste recherché, ce qui lui permet d'assurer son confort matériel. Son cercle étroit d'amis reste toujours celui des ex-Nabis, mais viennent s'y agréger des personnalités du Tout-Paris, des Arts, de la Littérature, de la Finance, du Cinéma.

La fidélité : Maurice Denis

Vers la fin de sa vie, Maurice Denis se sent beaucoup plus proche de Vuillard qu'il ne le supposait. Ils voyageront souvent ensemble, ainsi en Angleterre, en 1932.

Vous ai-je dit assez toute la satisfaction que j'ai eue à voir vos ouvrages de la vente Gangnat, au milieu des Renoir? Je l'ai dit à Bonnard que j'ai rencontré à l'exposition, c'est le contraste d'un art à la fois aussi sensible que celui de Renoir, et infiniment plus volontaire, exactement plus intellectuel, qui était nouveau pour moi. Je n'avais jamais réalisé à ce point que dans le recul des années vos œuvres paraîtraient aussi empreintes de spiritualité; qu'avec des qualités plus plastiques, elles s'apparenteraient plutôt aux miennes, par exemple, et ceci dit sans aucune fatuité, qu'à celles des impressionnistes, et qu'enfin nous étions en cela, comme en beaucoup de choses,

Vuillard et Yvonne Printemps en 1934.

beaucoup plus voisins, beaucoup plus intimement liés que je ne le pensais. Il n'y avait que Cézanne, celui du *Bouquet* et du *Bord de l'Oise*, qui s'accordât profondément avec vous. Renoir, auprès de vous et de Cézanne, n'était plus qu'un aimable barbouilleur, génial, c'est entendu, mais tout de même trop indifférent à la pensée, qui est le tout de l'homme. Le plaisir de penser, vous l'avez connu comme lui, avec une inquiétude de l'intelligence qui fait le prix des grandes œuvres d'autrefois et qui, nous étant commune, nous rapproche de vous. Je juge cela très objectivement, sans partialité ni système. Cela m'est entré droit dans l'œil et dans l'esprit. Et cela est une vraie joie que vous m'avez donnée, et qui console de vieillir. [1925]

Maurice Denis
Journal, tome III (1921-1943), Paris, 1957

Les secrets du portraitiste

Vuillard est l'un des plus célèbres portraitistes de l'entre-deux guerres. Banquiers, actrices, aristocrates se l'arrachent.

Maintes fois Vuillard a entrepris ses portraits dans des conditions matérielles vraiment malaisées. Un soir que nous étions allés le chercher place Vintimille, et que nous nous rendions ensemble rue de Naples par le boulevard des Batignoles, il nous entretint du portrait de Jane Renouardt qu'il était en train d'exécuter chez elle dans sa propriété de Saint-Cloud. La comédienne avait désiré être représentée en robe du soir; c'est donc à la lumière des lampes qu'il avait entrepris son travail dans le salon. A la deuxième séance, elle propose à Vuillard de se transporter dans son cabinet de toilette où il fait plus chaud. Vuillard acquiesce et recommence sa composition. Jane Renouardt s'installe devant son miroir à trois faces et Vuillard se pose sur un tabouret, dans un coin de la pièce limité par la baignoire. Le lendemain, gêné par le manque de recul, il prend le parti de s'asseoir sur le bord même de la baignoire, ce qui est au fond assez inconfortable. «Aujourd'hui, nous déclare-t-il en riant, je me suis installé carrément dans la baignoire où je suis maintenant très bien.»

Jacques Salomon, *Vuillard*, 1945

Les commandes officielles

La commande officielle du conservateur du Petit-Palais, datant du 5 août 1936, offre l'occasion à Vuillard de retrouver encore une fois ses amis de l'époque nabie, pour en réaliser les portraits connus sous le nom de «Quatre Anabaptistes».

Mon cher Maître,
Comme suite à notre dernier entretien, je m'empresse de vous faire connaître que la Commission de répartition du crédit spécial de la Ville de Paris attribué aux artistes à l'occasion de l'Exposition de 1937, a décidé, sur ma proposition, de vous commander, pour le prix de quatre-vingt mille francs, les 4 panneaux représentant : Aristide Maillol, Pierre Bonnard, K. X. Roussel, Maurice Denis.

Quant aux esquisses si charmantes, comme je vous l'ai dit, un réglement spécial de la Ville de Paris prescrit qu'elles doivent faire un tout avec les décorations commandées. Dans ces conditions, me rappelant vos scrupules, j'ai parlé de cette question à notre ami Henraux; il m'a dit qu'il renoncerait bien volontiers à ces esquisses en faveur du Musée de la Ville de Paris.

J'ose espérer, mon cher Maître, que

vous voudrez bien me confirmer notre accord et je vous prie d'agréer l'assurance de mon affectueuse admiration.

Raymond Escholier

En 1937, Vuillard reçoit sa première commande d'Etat, avec Bonnard et Roussel : le décor du vestibule du nouveau théâtre de Chaillot.

Lorsqu'il fut question de la décoration du théâtre de Chaillot, Vuillard était effrayé de la façon dont avait lieu l'attribution des commandes; nous nous rappelons lui avoir entendu déclarer : «Ce sera la tour de Babel!» Sans vouloir discuter le talent de chacun, il aurait souhaité, au lieu d'une distribution, une idée maîtresse ou tout au moins une entente étroite entre les artistes désignés. Soucieux, quant à lui, de l'unité des trois panneaux qui devaient être placés au-dessus des portes d'entrée de la salle du théâtre et dont il devait partager l'exécution avec K.-X. Roussel et Bonnard, il attendit que ceux-ci eussent arrêté les grandes lignes de leur composition pour fixer la sienne, de façon à donner à l'ensemble l'harmonie désirable.

Lorsque les panneaux terminés furent posés, Vuillard se rendit un matin au palais de Chaillot, et, en sortant du théâtre, il vint déjeuner avec nous. Nous l'avions vu travailler à sa décoration dans une pièce exiguë de son appartement, place Vintimille, dont la toile occupait exactement tout un mur, et nous l'avions souvent entendu se plaindre du manque de recul qui ne lui permettait pas de juger de l'effet. Nous attendions donc avec impatience son impression sur son œuvre mise en place. Tout en faisant des réserves sur certains détails, qu'il devait par la suite modifier, il se montra plutôt satisfait. Roussel, fidèle à lui-même, avait plusieurs fois bouleversé son tableau en cours d'exécution et finalement Vuillard lui avait cédé la place du centre qui lui avait été primitivement attribuée, à cause du côté monumental qu'avait pris l'œuvre de son ami. Pressé par le temps, Roussel avait dû livrer son travail sans qu'il fût achevé, mais Vuillard trouvait à sa composition un grand style. «Et le panneau de Bonnard?» interrogeâmes-nous. Dans un sourire amusé, Vuillard le déclara ravissant, mais, comme nous insistions pour savoir ce qu'il représentait, il se prit la tête dans les mains et nous dit finalement qu'il n'en savait rien, ajoutant toutefois que c'était un bouquet charmant de couleurs.

Jacques Salomon, *Vuillard*, 1945

Vuillard à l'Institut

Lui qui n'avait pas souhaité être pensionnaire de la Villa Médicis, se voit justement confier la mission de donner son avis sur cette institution.

Je sais trop l'importance, je connais trop la séduction, la vitalité de notre école française contemporaine pour m'étonner que ces jeunes gens en soient plus ou moins exclusivement hantés. Mais, justement, je tiendrais à leur dire que le goût, l'admiration qu'ils peuvent en avoir ne sont pas incompatibles avec l'étude de ces œuvres d'art extraordinaires au milieu desquelles il leur est permis de vivre quelque temps; je sais qu'elles peuvent les déconcerter dans leurs habitudes, leur sembler étrangères à leurs préoccupations actuelles. Eh bien, de cette nouveauté même, on serait heureux de voir quelque influence dans leurs travaux, qui prouverait l'intérêt qu'ils auraient su prendre et montrerait enfin qu'ainsi ils auraient trouvé dans

La *Paix protectrice des Muses*, réalisée pour le palais de la SDN à Genève.

leur vie de pensionnaires à Rome un autre avantage que celui d'un moment de sécurité matérielle.

Qu'on me permette d'ajouter, et cela peut-être aura une valeur à leurs yeux (venant d'un aîné dont les études se sont faites en toute liberté, c'est-à-dire à travers tous les hasards) que les plus grands, les plus indépendants parmi les novateurs modernes, sans même remonter bien loin, de Puvis de Chavannes à Manet, de Degas à Renoir, à Cézanne, tous ont eu le culte des maîtres italiens, les ont étudiés utilement, s'en sont nourris, chacun à sa façon, non avec le souci d'une vaine imitation superficielle, mais pratiquement, s'efforçant seulement d'en pénétrer les qualités vivantes, d'apprécier justement les moyens de leurs prestiges.

Rapport à l'Institut sur les envois des pensionnaires de l'Académie de France à Rome, cité par Jacques Salomon, *Vuillard*, 1945.

La rétrospective du pavillon de Marsan en 1938

Organisée par ses amis Romain Coolus et Waldemar George, cette grande rétrospective permit de faire le point sur l'œuvre d'Edouard Vuillard.

Ses tableaux d'intimité et ses portraits étaient déjà des thèmes décoratifs, c'est-à-dire qu'au fond, en artiste conscient de la raison d'être de son art, il s'était toujours borné à ne retenir des objets et des êtres représentés que ce qu'ils ont d'essentiel pour un peintre, à savoir leurs résonances picturales. Un être humain se résumera toujours pour lui en quelques sonorités colorées, dont l'intérêt symphonique sera suscité par l'ensemble des autres aspects colorés du monde. Tout ce qui est a une signification esthétique et c'est à la découvrir, puis à la fixer, que tend l'effort du peintre. En des frises, en des panneaux d'une variété étonnante et d'une matière somptueuse, Vuillard a fait entrer les plus larges spectacles de la nature dans le cadre de l'intimité et, en imposant à des êtres humains cette humilité de n'être comme tous les objets du monde que des thèmes décoratifs, destinés à démentir la monotonie de l'existence quotidienne, il a inscrit sur les murs de certains foyers une méditation colorée, où se mêlent, dans le plus subtil amalgame, les sensations et les idées.

Roman Coolus, «Edouard Vuillard», *L'Art vivant*, mai 1938

Dernières lettres

Avril 1940
Mon cher Vuillard,
Il y a bien longtemps que je n'ai eu de vos nouvelles. Je pense que vous avez bien traversé cette fin d'hiver si dure… Les journées passent trop vite – matinées de travail et descentes à Cannes l'après-midi, c'est le fond des occupations. Je m'intéresse beaucoup au paysage et mes promenades sont remplies de réflexions à ce sujet. je commence à comprendre ce pays […]. J'ai vu plusieurs fois Gaston Bernheim qui était sur la côte, une fois Matisse et un vieux peintre, Adler, qui nous a bien connus à l'atelier Julian […]. Je pense souvent à vous et vous envoie mes meilleures amitiés.

P. Bonnard

Vuillard adresse sa dernière lettre à Bonnard le 4 mai 1940, il mourra le 21 juin à La Baule.

Le 4 mai 1940
Mon cher Bonnard,
Si je vous écrivais chaque fois que je pense à vous, à notre passé, à la peinture, etc. vous auriez une bibliothèque à compulser. Mais dans un mot, que vous dire? autre chose que des nouvelles de santé : la mienne est meilleure, je me suis remis au travail, sans résultat mirifique, mais avec intérêt souvent. Je crois vous avoir montré dernièrement un moment de désarroi, sans beaucoup de pudeur. Cela va à peu près maintenant : le printemps tardif est enfin venu. Roussel grippé est resté au lit et à la chambre une quinzaine de jours. Il n'a pas encore repris son travail pour lequel il était revenu à Paris. Et vous, aurez-vous une occasion, un besoin, de venir jusqu'ici? Un mot de vous me ferait bien plaisir, dans ces moments plutôt pénibles.
Bien amicalement, votre

E. Vuillard

Post mortem

Le dramaturge Jean Giraudoux, dont Vuillard avait fait un portrait, adresse un hommage au peintre décédé.

Aussi pourquoi n'accepterais-je pas, aujourd'hui, sur ces plateaux du Velay et de l'Ardèche que je traverse, le legs que vient de me faire soudain Vuillard, le don de voir soudain humains et paysages avec ses propres yeux? Tout est Vuillard le long des routes, des accotements aux montagnes. Tout est ordonné par lui, les coquelicots sont dans le même champ, moins un qui est dans l'avoine, les bleuets sont tous dans un autre, moins la touffe qui est dans l'orge. Tout ce qui est Vuillard s'éclaire sur chaque être, sur chaque objet : le ruban jaune, le premier jaune d'après sa mort, s'avive sur les cheveux de la petite fille, la langue rose dans le chien. Et ce n'est pas seulement que ces contrées demi-sauvages et brutes ont naturellement la couleur et les apprêts du plus doux de nos peintres, c'est que la nature accepte définitivement, puisque Vuillard est mort, d'être vue par tous comme elle était vue par lui, s'enchante aujourd'hui de donner à tous en hommage à Vuillard mort et à Vuillard ressuscité ce qui n'était dû qu'à Vuillard, et fait de la France entière son pastel et sa couronne.
La Chaise-Dieu, 1940

Jean Giraudoux,
Littérature, Gallimard, 1967

Maurice Denis apprend la mort de Vuillard le 15 juillet 1940, par un coup de téléphone de Roussel. En février 1941, il note dans son journal, avec émotion :

Février. Vuillard aimait le milieu où il vivait, pour l'imprévu et le mordant des spectacles que sa mémoire retenait au jour le jour et dont il composait ces impressions, si nombreuses et si variées, de son fond d'atelier. La nature toute simple ne lui fournissait pas un excitant aussi capiteux. Il lui fallait ces salles de théâtre, ces restaurants, ces salons, ces éclairages pour alimenter sa mémoire, satisfaire sa curiosité. En fait de sensation il était devenu de plus en plus exigeant, jusqu'à rechercher la bizarrerie, dont il tirait des mises en pages et des colorations surprenantes, disons, le plus souvent, des beautés inédites.

Maurice Denis, *Journal*, Tome III

Le peintre André Lhote dresse un bilan plus mitigé :

Dans le fracas de la débâcle, la disparition de Vuillard a fait peu de bruit. C'est une charmante figure de vieillard apaisé qui disparaît, juste l'opposé de ce que fut, avant de mourir plus silencieusement encore, Paul Cézanne. Toute sa vie, ce dernier fut agité de mille inquiétudes qui devaient dans sa vieillesse exaltée confiner au drame; durant toute sa vie, Vuillard s'employa à déguster finement, en connaisseur distingué, les délices de l'opulente vie bourgeoise, qu'il nota, comme on sait, en des toiles subtiles où se déposaient, avec mille précautions, ces éléments quintessenciés dont est faite la pulpe du tableau. Des tonalités comme épuisées à force de raffinement chantaient délicieusement grâce à des rapprochements très savants, cependant que des violences de bon aloi, le vermillon d'une fleur, le bleu pur d'un pan de ciel d'été, les bandes orangées d'une chaise longue, réveillaient la symphonie et donnaient à l'ensemble l'apparence de la plénitude. Maints chefs-d'œuvre sont nés de cette esthétique lointainement parente de celle de certains Flamands du XVIIe siècle où les lambris et les meubles, les corniches, les portes, les vitrages, tous les éléments immobiles de l'architecture servent de cadre à la lenteur des gestes les moins ostentatoires de la vie familiale. La vie des intérieurs, sinon la vie intérieure, retint particulièrement l'activité de Vuillard. Il peignit cependant, en 1937, pour le théâtre de l'Exposition un grand paysage féerique et vrai, si beau qu'on ne songe pas à regretter qu'il ne soit pas décoratif dans le profond sens du mot. Sa vieillesse, hélas! ne connut pas toujours de telles réussites; mal préparé pour les sacrifices qu'exige l'art du portrait, il ne put résister aux tentations absurdes qu'offre le visage d'une mondaine ou d'un parvenu, ni surtout aux exigences sacrilèges du bourgeois qui «pose». A cet égard, le portrait de Mme de Noailles, encadré de fleurs et de tentures, et qui passe aux yeux de trop de contemporains pour un chef-d'œuvre, n'est en réalité qu'une offense, faite par le peintre, à son œuvre même. La vulgarité des couleurs, la surcharge des traits, l'accumulation des détails physionomiques, l'aveuglante réalité de ces roses et de ces étoffes, constituent le triomphe de ce mauvais goût dont chacun de nous surveille anxieusement, pour les juguler, les sursauts déraisonnables.

C'est peut-être à ce portrait que Vuillard dut d'entrer à l'Institut. Car la France d'hier, la France morte de paresse et de pusillanimité, semblait attendre qu'un homme de talent fût sur l'extrême pente de la décadence pour le porter aux honneurs suprêmes [1941].

André Lhote,
La Peinture libérée,
Grasset, Paris, 1956

Les biographes

Après 1945, le devant de la scène artistique est occupé par Picasso, Manessier, Matisse. L'univers bourgeois qu'expose Vuillard dans sa peinture est, consciemment ou non, identifié à la défaite, sa virtuosité considérée comme une qualité négative. C'est justement au cours de cette éclipse critique que deux de ses proches écrivent des biographies de Vuillard qui restituent l'ensemble de l'œuvre dans la durée.

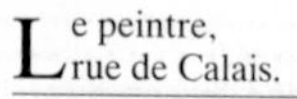

Le peintre, rue de Calais.

Jacques Salomon

Les souvenirs rapportés par Jacques Salomon, époux d'Annette Roussel, la nièce de Vuillard, sont une mine irremplaçable pour la connaissance de l'œuvre du peintre.

L'argent qu'il gagnait, il l'employait en grande partie à faire du bien autour de lui, allant au-devant des infortunes et secourant tous ceux qui faisaient appel à sa générosité. Le spectacle de la misère lui était insupportable. Nous ne l'avons cependant jamais entendu se plaindre de sa jeunesse difficile; au contraire il déclarait que la nécessité avait été sa seconde mère et qu'il lui devait tout; mais il savait aussi ce qu'un secours survenu à propos pouvait apporter à une détresse et cela était sa constante préoccupation.

Sa qualité foncière était la bonté. On ne percevait jamais la moindre aigreur dans ses propos, toujours empreints d'indulgence et de compréhension.[…]

Au vrai, sans être pratiquant, Vuillard avait gardé l'empreinte de la formation chrétienne qu'il avait reçue dans sa jeunesse chez les frères maristes, et sa nature était naturellement et profondément religieuse. Sans cesse en proie à des scrupules, il gardait le silence par crainte de se prononcer trop à la légère sur quelque sujet qui lui était proposé. Un jour que nous lui déclarions qu'il était un saint : «Assurément, nous répondit-il en souriant, puisque les saints sont les êtres les plus effroyablement tourmentés!»

Dans les vingt dernières années de sa vie, nous le voyions souvent plongé dans *l'Histoire de Port-Royal*, de Sainte-Beuve ou *la Vie de Rancé*, et, tout à la fin, dans *l'Histoire littéraire du sentiment religieux en France* de l'abbé Bremond, s'intéressant profondément à le vie de ces grands méditatifs consumés par l'amour divin. *L'Imitation de Jésus-Christ* était son livre de chevet.

Sans être un assidu des concerts, son goût pour la musique classique était des plus vifs, au point que nous lui avons vu souvent le visage baigné de larmes pendant l'audition de certaines grandes symphonies. – Beethoven, Bach et surtout Mozart avaient sa préférence.

Physiquement et à première vue, Vuillard avait plutôt l'allure d'un petit bourgeois. Sa mise était correcte et uniforme : complet sombre, cravate lavallière noire que dissimulait sa barbe, devenue très blanche avec les années. Il attendait que son vêtement fût à l'extrémité pour aller s'en commander un autre, de préférence à la Belle-Jardinière dont la succursale de la place Clichy était tout près de chez lui. Bref, il n'avait aucun souci d'élégance. Son abord, quoique généralement aimable et souriant, s'arrêtait le plus souvent à la poignée de main, réservant tout un fonds de tendresse pour les siens et ses plus proches amis. Sa voix, plutôt grave et d'un fort joli timbre, se prêtait à d'infinies nuances.

Une singulière énergie perçait derrière son regard, légèrement voilé de tristesse et de gravité. Sous son épaisse moustache apparaissait, lorsqu'il parlait, une bouche rouge comme une cerise, découvrant, dans le rire, des dents très blanches. Il aimait le monde, qui s'offrait à lui comme une récréation, mais il y faisait toutefois peu d'efforts, sauf quand il se trouvait en société avec de jolies femmes ou des gens d'esprit, se tenant systématiquement éloigné des conversations générales. Il ne parlait jamais de son propre travail, ni de ses projets, mais il aimait s'étendre sur la peinture de Bonnard et sur la remarquable ordonnance des travaux de Maurice Denis, réservant la première place à Roussel dont il admirait profondément le sentiment poétique.

Par contre il fallait vraiment le provoquer pour lui faire donner son avis sur certains peintres vivants.

Il avait un égal mépris pour la fausse conscience et pour le laisser-aller. Le côté «lâché» lui faisait horreur et les recherches abstraites le laissaient complètement indifférent. Cependant il visitait des expositions, s'intéressant aux «jeunes»; mais il se gardait de faire des compliments de complaisance et ses jugements étaient toujours très mesurés. [...]

Il ne parlait jamais sans une profonde émotion de Rembrandt qu'il appelait «le géant». Un jour que nous étions arrêtés ensemble devant *la Famille du menuisier*, il nous en détailla l'émouvante intimité et conclut brusquement en riant : «Lui aussi n'a peint que des Juifs!»

Jacques Salomon, *Vuillard*, 1945

Claude Roger-Marx

Collectionneur et ami du peintre, Claude Roger-Marx lui a consacré un ouvrage qui demeure encore aujourd'hui une des analyses les plus pertinentes de l'œuvre de Vuillard.

Issu d'un milieu strictement bourgeois, conservant dans la vie quotidienne l'habitude de l'examen de conscience, *janséniste* d'esprit, fait pour la méditation et la solitude, il aurait été dans l'obligation d'agir en *jésuite* (ainsi se qualifiait-il parfois lui-même) puisqu'au lieu de fuir le monde et de reléguer la peinture au nombre des vanités, il lui faut trouver un accommodement avec les passions et avec le siècle, aimer et faire aimer un plaisir sensuel.

Pierre Bonnard et Ker-Xavier Roussel photographiés par Vuillard. Leur amitié survivra au temps.

[...] Si, comme le dit André Gide, «les qualités que nous nous plaisons à appeler classiques sont surtout des qualités morales», si le classicisme est «comme un harmonieux faisceau de vertus dont la première est la modestie», peut-être que jamais Vuillard n'approcha plus des grandes traditions. Comme il a conservé sa mémoire merveilleuse, comme ses mains n'ont jamais obéi plus fidèlement, comme il n'a jamais été plus habile (et dans le grand sens du mot), nous le voyons résoudre, avec une patience d'ascète, mille difficultés. Aucune complication de perspective ne le gêne. Comme les Primitifs, comme les Florentins, comme les petits-maîtres de Hollande, comme Chardin, comme Manet, il s'applique à fixer le luisant, les reflets, à imiter la trame des étoffes; il s'attarde à décrire les objets, autrefois transfigurés, sous l'aspect le plus traditionnel, ne nous fait grâce ni d'un cadre, ni d'un sautoir, ni d'un ruban. Il peint les choses en s'interdisant presque d'intervenir dans leur arrangement. Il s'efface, il accepte, en observateur passif que rien ne rebute.

Les déformations, les singularités et jusqu'aux silences qui nous enchantaient, il les évite maintenant comme s'ils étaient formulaires. Simplifier le registre coloré, fuir les contrastes ou les dissonances, lui semble une concession, un appauvrissement inadmissible en face de la variété et de la complexité infinie des éléments plastiques. Evolution inverse de celle de Manet, de Monet, de Degas, de Van Gogh, qui, partis d'une reproduction plus ou moins littérale des apparences, ont procédé à des synthèses de plus en plus larges. Et c'est sans doute parce que, tout jeune, il a pratiqué ce qu'on pourrait appeler des disciplines de

liberté qu'il aspire, sur le tard, à des disciplines autoritaires. Contre certaines découvertes faites par sa génération, et depuis vulgarisées, il met autant de vigueur à réagir qu'il en mettait à lutter, quarante ans plus tôt, contre des conventions contraires. C'est ainsi que les milieux officiels ont pu s'imaginer un moment qu'il faisait un pas vers eux et se repentait de ses audaces, révolutionnaire passé au banc des conservateurs.
Nombre de critiques ont commis la même erreur, surtout depuis son entrée à l'Académie, geste accompli dans l'espoir de rendre sa mission et sa grandeur originelles à une institution décriée.

Claude Roger-Marx
Vuillard et son temps
Paris, 1945

André Chastel

La première œuvre importante du grand spécialiste de la Renaissance italienne fut une analyse extrêmement originale et acérée de l'œuvre du peintre nabi.

Verlainien, musical, mallarméen, wagnérien même, on a réuni toutes les épithètes chères aux symbolistes, autour de l'«intimisme» de Vuillard. Il y a dans toutes quelque chose de juste. Nul n'a répondu aussi délicieusement à une certaine demande raffinée de son temps : ces tableaux menus et serrés se portent au-devant du spectateur par le charme de leurs tonalités : ils comptent par leur effet sensible, brusque ou harmonieux, avant même d'être compris. Mais cet art risquerait de rester le bien presque incommunicable des gens d'âge qui l'ont aimé, s'il n'avait revêtu une forme décorative qui demeure efficace et vraie. De cette époque qui descend de toutes parts dans l'histoire, Vuillard est, comme Debussy, l'un des témoins qui méritent de subsister, entre beaucoup qui ne le méritent pas. Il le devra en particulier aux grandes compositions encore trop peu connues, dont il a orné des appartements parisiens.

André Chastel,
Vuillard,
Paris, 1946

«Vuillard et son Kodak»

Jacques Salomon et Annette Vaillant, la fille de l'actrice Marthe Melot et de Tristan Bernard, furent les premiers à mettre l'accent sur l'importance de la photographie dans le processus créateur de Vuillard.

Quoique la personnalité de l'opérateur s'affirme dans le choix et dans la prise de vue, comme c'est le cas pour Degas aussi bien que pour Vuillard, la photographie ne saurait prétendre qu'à enregistrer ce qu'on lui propose… et c'est là qu'elle rencontre ses limites. Un matin que je rapportais à Vuillard un entretien que j'avais eu récemment avec Bonnard au sujet de la photographie en couleur dont certains résultats l'émerveillaient et même semblaient le troubler, Vuillard, qui savait combien son ami aimait se montrer paradoxal, me répondit, sans lâcher son pinceau, que la peinture aurait toujours sur la photographie l'avantage d'être faite à la main. Cette réponse trop simple pour ne pas me décevoir sur le moment ne cesse de m'apparaître des plus pertinentes. En copiant la nature vivante, Vuillard impose à ce qu'il regarde un rythme qui est lui, qui est le mystère de toute sa personne et que le geste de sa main communique à sa toile… et signe.

Jacques Salomon et Annette Vaillant,
«Vuillard et son Kodak»
in *L'Œil*, avril 1963

La critique contemporaine

André Chastel avait donné le ton d'une nouvelle approche de l'art de Vuillard. Des expositions sur son œuvre ou sur le groupe nabi (celle de Franco Russoli à Milan en 1959, celle de John Russell en 1971-1972) ont permis de redimensionner la place du peintre dans la tradition moderne. On proposera ici quelques exemples récents d'une reconquête critique.

Oui, je ne peux m'empêcher : à chaque fois que je revois au Petit Palais les *Bibliothèques* de Vuillard, je pense à Proust, frappé que je suis, que j'ai toujours été, de l'écart minimum de densité et de relief qui sépare les personnages de son livre de la masse foisonnante, vivante, dont le livre est fait, et dont ils émergent tout juste. Ils sont comme des bas-reliefs de faible saillie, pris dans l'épaisseur, et qui se détacheraient à peine; non d'une paroi lisse, mais d'un grouillement déjà animé, comme celui des murs des temples hindous. Parfois même, on dirait que ces personnages naissent presque sans solution de continuité, d'un simple excès de densité de la matière livresque.

Julien Gracq,
En lisant en écrivant,
Paris, 1981

Le *Diner vert.*

A propos des liens entre Vuillard et la photographie :

En approfondissant l'aspect peut-être le plus pictural de l'art de Vuillard – le travail des textures – je me suis prise à songer à la photographie : les toiles de Vuillard, surtout dans la première partie de son œuvre, jusque vers 1905, associent motifs décoratifs et figures dans un jeu de thèmes et de variations qui embrassent et animent la totalité de la surface picturale; les éléments de l'arrière-plan se décollent, remontent au plan de la surface; les figures semblent avalées par les textures ou se condensent et avancent en tremblant. En regardant certaines toiles de Vuillard dont les figures sont soudées aux fonds où elles semblent s'absorber, on peut songer à «l'image dans le tapis» qui obsède un des personnages de Georges Perec dans *La Disparition* : «Au fur et à mesure qu'il s'absorbait, scrutant son tapis, il y voyait surgir cinq, six, vingt, vingt-six combinaisons, brouillons fascinants mais sans poids, (…) tout un tas d'imparfaits croquis, dont chacun, aurait-on dit, contribuait à ourdir, à bâtir la configuration d'un croquis initial qu'il simulait, qu'il calquait, qu'il approchait mais qu'il taisait toujours…»

Pensons à ce portrait de Claude Bernheim (1906) du musée d'Orsay qui, alternativement, nous permet de voir le garçonnet en habit de satin blanc sur un fond flou de tapisserie d'Aubusson trouée de morsures vertes et brunes, ou une silhouette floue, un écran, qui masque un pastoureau, une pastourelle «et leur chien bleu» dans une Arcadie de Roussel. Pensons encore à ce portrait de sa mère devant une fenêtre, plus tardif (1914) : de profil, Mme Vuillard se confond avec le paysage : en «vision flottante», ses traits se dissolvent ou se rassemblent. «Les motifs – fonds ou figures – positifs et négatifs sont indissociablement liés, soudés et… réversibles.»

Emilie Daniel,
«L'objectif et le subjectif.
Vuillard photographe»,
Les Cahiers du Musée national d'art moderne, Paris, printemps 1988

Les rapports entre Vuillard et la tendance néo-classique :

En 1901, après avoir vu les décorations religieuses de Maurice Denis pour la chapelle du Vésinet, Vuillard remarque combien son ami s'entend à appuyer un charme fragile sur des bases solides, des sentiments imprécis sur des formes précises. Il ne peut certes partager l'attirance de Denis pour le classicisme, qui se manifeste de plus en plus dans la clarté de ses formes et la symétrie de ses compositions en frise. Il ne peut pas non plus souscrire à l'interprétation classicisante de Cézanne, le nouveau héros de Denis; il souligne au contraire les évidentes affinités de Cézanne avec Véronèse, et par là avec la tradition coloriste baroque. Par ailleurs, il ne s'associe guère à l'admiration fervente des Nabis pour Gauguin, un artiste trop «pédant» à son goût. Dans la mesure où les divergences entre Vuillard et Denis recouvrent un antagonisme entre la peinture de genre et le classicisme, elles annoncent un débat fondamental pour l'évolution de la peinture française du tournant du siècle à la Première Guerre mondiale et même après. Les conceptions esthétiques de Maurice Denis et de Paul Signac sont appelées à exercer une influence considérable sur la nouvelle génération. Le retour aux valeurs classiques se manifeste dans les œuvres d'artistes aussi différents que

Cross, Maillol et Roussel, mais aussi, ce qui est bien plus remarquable, dans celles des étoiles montantes du fauvisme, Matisse et Derain. Tous sensibles à la séduction intemporelle de la Méditerranée, berceau des civilisations anciennes, ils abordent pareillement des thèmes bucoliques. On pourrait déceler dans les carrières de Matisse, de Bonnard et même de Picasso un effort constant pour trouver un équilibre entre deux pôles. Vuillard, lui, resta toujours fidèle, malgré ses périodes d'incertitude, à une peinture de genre inspirée de la vie quotidienne et à une méthode empirique fondée sur les sensations. Son attitude a sans doute servi d'exemple pour de plus jeunes artistes à mi-chemin entre les Nabis et les Fauves, comme Louis Valtat et Albert André, mais il n'a jamais cherché à faire des disciples ou à propager ses idées.

Belinda Thomson, *Vuillard*, 1988

Le déchiffrement progressif du tableau :

Constituée de petits pans contigus de tissu, de papier, d'étoffe, de bois, auxquels correspondent chaque fois une couleur, une texture et un motif différents, la chambre se présente comme un puzzle qu'il faut assembler. Mais cette unité reste problématique; Vuillard ménage, par un procédé semblable au mimétisme du caméléon, des *temps* d'identification variables, certaines figures restant prises dans les rets des zébrures, mouchetages et autres cribles du motif ornemental. Dans *Mère et enfant*, tout semble vouloir exprimer et retenir le temps; par le jeu des figures cachées – le bébé dans un recoin et le geste incertain de sa mère, tête tournée – mais également par la coloration automnale, quasi fanée, de la tapisserie ou du couvre-lit. Comme si à chaque plage, à chaque découpe correspondait un moment particulier que seule la lecture prolongée permettait de lier et de recomposer. Lenteur de l'œuvre, qui nous ramène encore à l'enfance, comme nous y ramène cet espace fait d'écrans, d'encoignures, de cachettes et de secrets, et dont les quatre panneaux articulés du paravent forment, comme dans une partition musicale, le thème principal. Ainsi une stratégie de la sensation visuelle procure le sentiment de pénétrer la trame de l'image, comme si l'on était en même temps devant une tapisserie et pris étroitement dans ses fils. Cette proximité avec l'espace du dedans en excédant le visible appelle le tactile. Comme à l'époque de son *Enfance berlinoise*, lorsque le petit Walter Benjamin découvrait avec fascination d'étranges trésors dans la boîte de couture maternelle ou dans l'armoire à linge, on parcourt un à un les éléments réunis, passant du lit au paravent, et par une étonnante déduction optique, de l'enfant à sa mère. Dans cette confusion synesthétique où regard et toucher s'entremêlent naît un état d'indistinction que l'artiste redouble à plaisir, peignant çà et là quelques taches qui ajoutent à la perplexité. Sont-elles des chiens ou des chats ces deux formes, claire et sombre, au milieu du lit? De quoi est fait le meuble où se dresse le bébé? A l'image de l'instabilité morphologique du petit enfant et de sa vision du monde, l'artiste nous porte là où la matière encore informe est sur le point de prendre vie et sens.

Michel Makarius, *Vuillard*, 1989

Le travail de la mémoire :

Généralement, la peinture et la littérature symboliste mettaient l'accent sur l'expression oblique des états

Madame Vuillard devant sa glace.

subjectifs plus que sur la description naturaliste de l'environnement matériel. Dans la formulation de cette esthétique, les Nabis furent particulièrement influencés par la théorie poétique de Mallarmé, inspirateur du mouvement symboliste, et par les idées du philosophe Henri Bergson concernant le pouvoir de transformation de la mémoire. Dans une peinture comme *Femme au placard*, les formes qui se chevauchent, le personnage – sans doute Mme Vuillard – dans une semi-pénombre, les encadrements et les fenêtres estompés de la porte à brisure du premier plan, sont conformes à l'idée de Bergson selon laquelle il n'y a pas de réalité perspective fixe, puisque la conscience est fluide et définie par des états émotionnels. Comme des fragments de conversations surpris simultanément, la composition de Vuillard évoque la nature accidentelle, mouvante, de notre perception de l'environnement. Ce qui a pour effet de susciter une réaction subjective chez le spectateur, nous invitant à partager avec l'artiste le sentiment d'un moment familier qui est revécu dans la peinture. De même, dans une œuvre comme *Deux femmes sous la lampe*, les objets de la scène d'intérieur sont entretissés avec le fond, créant une série de surprenants écrans de papier peint, de tissu, de mobilier et de personnages, fort éloignés d'une expérience réaliste, mais qui s'accordent à notre expérience de la vision subjective. La mobilité de la perception qui avait déjà été explorée auparavant par les impressionnistes prend avec Vuillard une signification personnelle plus forte, grâce aux pouvoirs de la mémoire qui lui permet d'enrichir sa perception du présent à l'aide d'associations venues du passé.

Ann Dumas,
«A la Recherche de Vuillard»,
catalogue de l'exposition *Vuillard*,
Lyon-Barcelone-Nantes, 1990

BIBLIOGRAPHIE

- André Chastel, *Vuillard 1868-1940*, Paris, 1946.
- Ann Dumas et Guy Cogeval, Catalogue de l'exposition «Vuillard», Lyon, Barcelone, Nantes, 1990-1991.
- Elisabeth Easton, *The Intimate Interiors of Edouard Vuillard*, Exposition, Houston, Washington, New York, 1989-1990.
- Pierre Georgel, Catalogue de l'exposition «Vuillard-Roussel», Paris, Orangerie, 1968.
- Aurélien Lugné-Poe, *La Parade* (I et II), Paris, 1930-1931.
- Michel Makarius, *Vuillard*, Paris, 1989.
- Georges Mauner, *The Nabis*, New York, 1978.
- Ursula Perruchin et Claire Frèches, Catalogue de l'exposition «Les Nabis», Zurich, Paris, 1993.
- Claude Roger-Marx, *Vuillard et son temps*, Paris, 1946.
- John Russel, Catalogue de l'exposition «Vuillard», Toronto, Chicago, San Francisco, 1971-1972.
- Jacques Salomon, *Vuillard-Témoignage*, Paris, 1945; *Vuillard*, Paris, 1968.
- Antoine Terrasse et Claire Frèches, *Les Nabis*, Paris, 1990.
- Belinda Thomson, *Vuillard*, Paris, 1988.

TABLE DES ILLUSTRATIONS

COUVERTURE

1er plat *Autoportrait* (détail), v. 1891, huile sur carton, 36 x 28 cm. Coll. part.
Dos Panneau décoratif pour Paul Desmarais : *Une partie de volant* (détail), 1892, h./t., 48,5 x 117 cm. Coll. part., Paris.
2e plat *La Conversation*, 1891, h./t., 23,8 x 33,4 cm. National Gallery of Art, Washington.

OUVERTURE

1 *Les Lilas* (détail), v. 1890, huile sur carton, 35 x 28 cm. Coll. part.
2 *Les Débardeurs* (détail), v. 1890, h./t., 47 x 64 cm. Coll. part.
3 *Fillettes se promenant* (détail), 1891, h./t., 81,2 x 65 cm. Coll. Josefowitz, Lausanne.
4 *L'Oie* (détail), 1890, huile sur carton, 22 x 27 cm. Coll. part.
5 *Les Jardins publics : Les Petits Ecoliers* (détail), 1894, peinture à la colle sur toile, 212 x 98 cm. Musées royaux des Beaux-Arts de Belgique, Bruxelles.
6 *La Conversation* (détail), 1891, h./t., 23,8 x 33,4 cm. National Gallery of Art, Washington.
7 *La Chambre du château des Clayes* (détail), v. 1933, peinture à la colle sur papier marouflé sur toile, 78 x 100,5 cm. The Art Institute of Chicago, gift of Mr. and Mrs. Leigh B. Block.
9 *Au Divan japonais,* v. 1890-1891, huile sur bois, 27 x 27 cm. Coll. part.

CHAPITRE I

10 *Autoportrait avec la sœur de l'artiste,* v. 1892, h./t., 22,8 x 16,5 cm. Philadelphia Museum of Art, the Louis E. Stern Collection.
11 Vuillard à Villeneuve-sur-Yonne, photographie de A. Athis, 1893. Archives Salomon, Paris.
12 *Autoportrait au canotier,* v. 1888, h./t., 35 x 31 cm. Coll. part.
13h Paul Sérusier, *Portrait de Paul Ranson en nabi,* 1890, h./t, 60 x 45 cm. Coll. part.
13b Alexandre Séon, *Portrait du Sâr Joséphin Péladan,* 1891, h./t, 132 x 80 cm. Musée des Beaux-Arts, Lyon.
14h Paul Sérusier, *Le Bois d'amour* ou *Talisman,* 1888, huile sur bois, 27 x 27 cm. Musée d'Orsay, Paris.
14b Emile Bernard, *Le Synthétisme,* 1889, caricature. Cabinet des dessins, musée du Louvre, Paris.
15g *La Femme au chapeau vert*, v. 1891, huile sur carton, 21 x 16 cm. Musée d'Orsay, Paris.
15d *Portrait de Ker-Xavier Roussel* dit *Le Liseur,* v. 1890-1891, huile sur carton, 35 x 19 cm. Musée d'Orsay, Paris.
16 *La Nature morte à la salade,* v. 1887-1888, h./t., 46 x 65 cm. Musée d'Orsay, Paris.
16/17 Croquis extraits du *Journal* de Vuillard, volume I, 1890, folio 25 verso. Bibl. de l'Institut, Paris.
17 *Portrait de la grand-mère Michaud,* v. 1888, dessin sur papier, 21 x 36 cm. Coll. part.
18g Pierre Bonnard, *La Revue blanche,* 1894, affiche. Bibl. nat., Paris.
18d *Portrait de Bonnard,* 1891, huile sur carton, 32,5 x 21,5 cm. Coll. part.
19 Pierre Bonnard, *Portrait de Vuillard,* 1892, huile sur bois. Coll. part.
20 Page extraite du *Journal* de Vuillard, volume I, 1890, folio 29 recto. Bibl. de l'Institut, Paris.

CHAPITRE II

CHAPITRE III

Mrs. Saidie A. May.
52g *Vallotton et Misia dans la salle à manger, rue Saint-Florentin,* v. 1899, huile sur carton, 67,7 x 50,6 cm. Coll. William Kelly Simpson.
52d *Misia Natanson, rue Saint-Florentin,* photographie de Vuillard. Archives Salomon, Paris.
53h *Marie Vuillard à sa fenêtre,* v. 1893, huile sur carton, 32 x 28 cm. Coll. Beverly Sommer, New York.
53b Page extraite du *Journal* de Vuillard, 1890-1900. Bibl. de l'Institut, Paris.
54h *Femme assise dans un bar,* v. 1893-1895, peinture à la colle et gouache sur papier, 20,3 x 13,9 cm. Cabinet des dessins, musée du Louvre, Paris.
54b *La Couseuse,* 1893, huile sur carton (composition board), 28 x 25,4 cm. Indianapolis Museum of Art, anonymous gift in memory of Carolyn Marmon Fesler.
55 *Femme au placard,* v. 1895, huile sur papier marouflé sur bois, 37,2 x 33,4 cm. Wallraf-Richartz Museum, Cologne.
56 *L'Aiguillée* (détail et ensemble), 1893, h./t., 40,3 x 32,2 cm. Yale University Art Gallery, New Haven, gift of Mr. and Mrs. Paul Mellon.
57h *Couseuse (Intérieur),* 1892-1895, huile sur panneau, 24,1 x 34,2 cm. Yale University Art Gallery, New Haven, bequest of Edith Malvina K. Wetmore.
57b *Les Couturières,* 1892, h./t., 47,5 x 57,5 cm. Coll. Josefowitz, Lausanne.
58 *Le Corsage rayé* (ensemble et détails), 1895, h./t., 65,7 x 58,7 cm. National Gallery of Art, Washington, collection of Mr. and Mrs. Paul Mellon.
59 *Misia au piano et Cipa l'écoutant,* 1897, huile sur carton, 63,5 x 56 cm. Kunsthalle, Karlsruhe.
60/61 *Grand Intérieur aux six personnages* , 1897, h./t., 88 x 193 cm. Kunsthaus, Zurich.
62 *Intérieur chez les Natanson,* 1897. Fondation Bührle, Zurich.
63h *Intérieur mystère (La Lampe à pétrole),* v. 1895, huile sur carton, 35 x 38,1 cm. Coll. part.
63b Portrait de Stéphane Mallarmé, photographie. Bibl. nat., Paris.
64h *Autoportrait,* v. 1892, h./t., 38,4 x 46,2 cm. Coll. part.
64b *La Grand-mère Michaux,* 1894, h./t., 65 x 54 cm. Hirshhorn Museum and Sculpture Garden, Smithsonian Institution, Washington, gift of Marion L. Ring Estate.
65 *Jeune fille près d'une porte,* 1891, huile sur carton, 29,2 x 20,3 cm. Coll. part.
66b *Près de la fenêtre,* 1895, huile sur papier marouflé sur toile, 31 x 36,5 cm. Museum of Fine Arts, Boston, bequest of John T. Spaulding.
66/67 *Femmes au papier peint rose,* 1895, huile sur carton, 32,5 x 52,5 cm. Coll. Josefowitz, Lausanne.

CHAPITRE IV

68 Décor pour la bibliothèque du Docteur Vaquez : *Le Piano*, 1896, peinture à la colle sur toile, 210 x 153 cm. Musée du Petit Palais, Paris.
69 *Les Jardins publics : Trois femmes sur un banc* (détail), 1894, peinture à la colle sur toile, 212 x 152 cm. Musée d'Orsay, Paris.
70b Mille fleurs au milieu desquelles jouent des animaux (détail), tapisserie de Cluny, XVe siècle. Musée de Cluny, Paris.
70/71h Décor pour la bibliothèque du Dr Vaquez : *Le Piano* (détail), 1896, peinture à la colle sur toile, 210 x 153 cm. Musée du Petit Palais, Paris.
71m Pierre Puvis de Chavannes, *Le Pauvre Pêcheur,* 1881, h./t., 155,5 x 192,5 cm. Musée d'Orsay, Paris.
71b *Au lit* (détail), 1891, h./t., 73 x 92,5 cm. Musée d'Orsay, Paris.
72 *Les Petits Ecoliers,* 1894, peinture à la colle sur toile, 212 x 98 cm. Musées royaux des Beaux-Arts de Belgique, Bruxelles.
73h Esquisse pour *Les Jardins publics*, page extraite du *Journal* de Vuillard, volume II, 1890-1905, folio 49 recto. Bibl. de l'Institut, Paris.
73b Feuille d'études pour *Les Jardins publics* (détail), 1893-1894, encre noire, fusain et crayon sur papier, 24,3 x 33,9 cm. Yale University Art Gallery, Everett V. Meeks, B. A. 1901.
74/75 *Les Jardins publics* (panneaux décoratifs pour Alexandre Natanson) : *Enfants jouant et nourrices, Trois femmes sur un banc, Femme en noir assise sur un banc avec un chien,* 1894, peinture à la colle sur toile, 212 x 72 cm, 212 x 152 cm, 212 x 80 cm. Musée d'Orsay, Paris.
76g et d *Les Jardins publics : Fillettes jouant, L'Interrogatoire,* 1894, peinture à la colle sur toile. Musée d'Orsay, Paris.
77 *Les Jardins publics : La Promenade,* 1894, peinture à la colle sur toile. The Museum of Fine Arts, Houston.
78 *Les Premiers Fruits* (ensemble et détails), 1899, h./t., 243 x 431 cm. The Norton Simon Foundation, Pasadena.
79 *La Maisonnette à l'Etang-la-Ville,* v. 1899, peinture à la colle sur toile, 117 x 255 cm. Musée départemental de l'Oise, Beauvais.
80h *Le Malade imaginaire,* 1912, panneau décoratif, peinture à la colle sur toile, 188 x 305 cm. Foyer de la Comédie des Champs-Elysées,

CHAPITRE V

CHAPITRE VI

peinture à la colle sur toile, 100 x 76 cm. Coll. part.
109 *Portrait de Jane Renouart* ou *La Loge*, 1927, h./t., 130 x 98 cm. Coll. part.
110h *A l'Institut*, 1937. Colle sur papier marouflé sur toile, 98,5 x 72,5 cm. Coll. part.
110b *La Comédie*, décoration pour le théâtre du palais de Chaillot, 1937, h./t., 335 x 350 cm. Palais de Chaillot, Paris.
111 *Portrait de l'artiste se lavant les mains*, v. 1924, huile sur carton 81,5 x 66,5 cm. The Woodner Family Collection, New York.
112 *L'Enfant sur un tapis* (détail), 1901, huile sur bois, 35,5 x 52,7 cm. Glasgow Art Gallery and Museum, Kelvingrove.

TEMOIGNAGES ET DOCUMENTS

113 Page extraite du Journal de Vuillard, 1890-1905. Bibl. de l'Institut, Paris.
114 *Idem*
115 *Idem*
116 Roussel, Vuillard, Romain Coolus et Vallotton, à Villeneuve-sur-Yonne, photographie de A. Athis, 1899. Archives Salomon.
120 Projet pour un paravent, v. 1892, pastel sur papier, 39,5 x 55 cm. Galerie Hopkins-Thomas, Paris.
122 Vuillard et Yvonne Printemps, à la galerie Tooth, photographie, 1934.
124 *La Paix protectrice des Muses*, 1938, décor pour la palais de la SDN à Genève.
128 Vuillard rue de Calais, v. 1923, photographie de Jacques Salomon. Archives Salomon.
130 Bonnard et Ker-Xavier Roussel, v. 1932, photographie de Vuillard. Archives Salomon, Paris.
132 *Le Dîner vert*, v. 1891, huile sur carton, 34 x 49 cm. Coll. part.
135 Mme Vuillard devant la glace, 1900, huile sur carton, 49,5 x 35,5 cm. Barber Institute of Fine Arts, University of Birmingham.

INDEX

CRÉDITS PHOTOGRAPHIQUES

Art Institute of Chicago 7, 103h. Artephot 122. Artephot/Faillet 44/45. Artephot/Held 43h. Barber Institute of Fine Arts, University of Birmingham 135. Bibliothèque de l'Institut, Paris 16/17, 20, 21g, 21d, 53b, 73h, 113, 114, 115. Bibliothèque nationale, Paris 33, 35h, 35b, 37g. Bibliothèque nationale, Paris © by SPADEM 1993 18g. Bulloz, Paris 68, 70/71h. J.- L. Charmet, Paris 94, 104b. Coll. Altschul., New York 2, 24/25. Coll. part. 1er plat, dos, 1, 9, 12, 13h, 18d, 26g, 28/29, 30/31h, 36h, 36m, 38b, 40, 41b, 43b, 47, 53h, 64h, 65, 97, 100/101, 109. Coll. part. © by SPADEM 1993 19, 22g, 37d, 41h. Collection Mme Simon Hodgson, Paris 106d. Collection Josefowitz, Lausanne 3, 27, 39, 57b, 66/67. Collection William Kelly Simpson, New York 102. D. R. 17, 82, 83, 132. Edimedia, Paris 63b, 108. Photo Archives Flammarion, Paris 90/91. Fondation Bührle, Zurich 62. Fondation M. Maeterlinck, Gand 36b. Courtesy galerie Bellier, Paris 22d, 63h, 89d, 95, 103b. Galerie Bernheim-Jeune, Paris 88h, 89g. Galerie Hopkins-Thomas, Paris 120. Cliché galerie Daniel Malingue, Paris 26bd. Photo Lynton Gardiner111. Giraudon/Flammarion 52g. Glasgow Museums, Edimbourg 91h, 112. Hirshhorn Museum and Sculpture Garden, Smithsonian Institution, Washington/Cl. Lee Stalsworth 64b. Fotoatelier Gerhard Howald, Bern 92b. Indianapolis Museum of Art 54b. Kunsthalle, Karlsruhe 59. Kunsthaus, Zurich 48, 60/61. Memorial Art Gallery of the University of Rochester 34. Musée départemental de l'Oise, Beauvais/Cl. Tiziou 79. Musée des Beaux-Arts de Lyon 13b. Musée des Beaux-Arts de Nice/Cl. Michel de Lorenzo 104h. Musée des Beaux-Arts de Reims/Cl. Devleeschauwer 32. Musée royaux des Beaux-Arts de Belgique, Bruxelles 5, 72. Museum of Fine Arts, Boston 42, 66b. Museum of Fine Arts, Houston 77. Museum of Modern Art, New York 40/41, 51. National Gallery, Londres 84, 86, 96b. National Gallery of Art, Washington 2e plat, 6, 58, 98. Norton Simon Foundation, Pasadena 78. ONU, Genève, Philadelphia Museum of Art 10. Réunion des Musées nationaux 14h, 15g, 15d, 16, 30/31b, 54h, 69, 71m, 71b, 74/75, 76g, 76d, 99, 100, 105, 107. Réunion des Musées nationaux © by SPADEM 1993 14b, 26hd, 87h, 87b. Rheinisches Bildarchiv, Cologne 55. Photo archives Salomon, Paris 4, 11, 22/23, 38h, 49, 52d, 85, 88b, 92h, 93, 101, 106g, 110h, 110b, 116, 128, 130. Scottish National Gallery of Modern Art, Edimbourg 50, 96h. Smith College Museum of Art, Northampton 46/47. Société immobilière du Théâtre des Champs-Elysées, Paris 81. Société immobilière du Théâtre des Champs-Elysées/Réunion des Musées nationaux 80h, 80b. Yale University Art Gallery, New Haven 56, 57h, 73b.

REMERCIEMENTS

L'auteur et les Editions Gallimard remercient chaleureusement M. et Mme Antoine Salomon; ainsi que Nadine Boucher; Claire Denis; Ann Dumas; Elisabeth Easton; Brigitte Ranson-Bitker; Antoine Terrasse; Jean-Claude, Luc et Yann Bellier; Samuel, Paul et Hélène Josefowitz et la galerie Bernheim-Jeune. Les Editions Gallimard remercient les éditeurs et les ayants droits qui les ont autorisées à publier des extraits de textes : M. Dominique Denis (pp. 116, 117, 122, 123, 126, 127); les Editions Adam Biro (p. 133-134), Hazan (p. 134), José Corti (p. 132), Grasset (p. 127); ainsi que les *Cahiers du Musée national d'art moderne* (p. 133) et la revue *L'Œil* (p. 131).

COLLABORATEURS EXTÉRIEURS

Natahalie Palma a assuré le suivi éditorial de cet ouvrage; Any-Claude Médioni a effectué la recherche iconographique.

Table des matières